4文字語

Four-letter words

ain't から zone まで

JN055332

Four score and seven years ago

アメリカ南北戦争中の1863年に行われたリンカーンのゲティス
バーグ演説の冒頭の有名なフレーズ。score は20年という単位
を表す。つまり、4×20+7で87年前という意味。

ain't 《口》am not, are not などの短縮形

ain't は、am not の短縮形として1706年にイギリスで使われ始めたという記録がある。しかし19世紀初頭になると am not だけでなく、is not、are not、have not、do not、did not などの短縮形として間違った使われ方をするようになり、socially unacceptable（社会的に受け入れられない）とされた。

　現代においては、ain't は通常、口語で用いられる非標準的な表現で、注意を引いたり強調したりするため、あるいはおどけたりするような場合に使うことがある。たとえば、Everything has become so expensive these days.（最近はすべてが値上がりしてしまった）に対して言う Ain't it the truth? は相手の言ったことに賛同して「本当だよね」と言う場合の口語表現。

　かつては、子供が ain't と言った場合に親はその使用をとがめて、"Ain't ain't in the dictionary, so ain't ain't a word."（ain't という語は辞書に載っていない。だからそういう語はないのですよ）と言ったようだ。そして一般的に教養のある人は使うべきでないとされてきた。しかし今日では、ain't はほぼすべての辞書に収められている。

Say it **ain't** so! 《口》違うと言ってよ。うそでしょ。本当なの？

　わざとぞんざいなことばを使って、「驚き」や「不快感」を表している。

That **ain't** no English. 《口》それは英語じゃねえぜ。

　ain't と no で二重否定（double negative）になっている。「正しい」英語にすれば、That isn't English. だが、わざと非標準的、非文法的用法を使うことにより意味を強調している。

You **ain't** seen nothin' yet. 《口》まだ何も見ていない。

　ain't と nothin' で二重否定 になっている。You haven't seen anything yet. ということだが、これはロナルド・レーガン大統領が1984年の大統領再選の際に一種のスローガンとして使ってから一

般化したフレーズである。「まだ何も見ていない。本格的になるのは
これから」という意味で、よい意味でも悪い意味でも使う。

anti　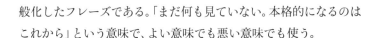图 反対者　形 反対の、異議のある

anti-discrimination laws（反差別法）、anti-harassment training（反
ハラスメント研修）、anti-food waste activist（食品ロスに反対する活動
家）、anti-smoking campaigns（禁煙キャンペーン）、anti-masker（マス
クの着用に反対する人）など、使用例は多い。通常はハイフンを用いる
が、意味が確立している次のような語の場合にはハイフンなしで使
う。antibiotics（抗生物質）、antibody（抗体）、anticlimax（期待外れ）、
antidote（解毒剤）、antiseptic（防腐剤）など。

anti-vaxxer　图《口》ワクチン接種に反対する人、ワクチン反対派の人

vaccination（ワクチン接種）を拒否する人のこと。新型コロナウイル
スのワクチンだけでなく、小児麻痺（polio）やはしか（measles）のワ
クチン接種に反対する人たちもいる。新型コロナウイルスのワクチ
ン接種に反対する人は、副反応についての政府や製薬会社の説明が
信用できないからとか、宗教的・政治的な理由などで拒否している。

略語としての vax

vax は vaccinate、vaccination、vaccine などの略で、*Oxford
English Dictionary* が選んだ2021年の Word of the Year で
ある。vax から派生した anti-vaxxer、動詞 vax の過去形・過
去分詞の vaxxed、それに vaxxie（ワクチン接種の様子の自撮り、
vaccination selfie）の場合には、特にソーシャルメディアなど
において xx とダブらせるのが一般的。これは expressive
doubling という90年代からのトレンドであると、同辞書は
説明している。

ASAP できるだけ早く、至急（as soon as possible の略）

小文字の asap という表記もある。発音は /èìèsèipíː, éisæp/ のどちらも。1955年アメリカ陸軍から始まったとされる。Send the check ASAP.（至急小切手送れ）のように使う。同じような意味で、I need ［want］it yesterday. とも言う。「できれば昨日欲しかった」から「至急必要だ」ということ。

baby 名 赤ちゃん

baby boomer   ベビーブーマー

第2次世界大戦後（1945年）から1960年代半ばまでに生まれた人を指す。戦後、平和になったアメリカでは著しく出生率が向上（baby boom）し、人口が急増した。この時期に生まれた人々を指して「ベビーブーマー」や「ブーマー（boomer）」と呼ぶ。

baby buster   ベビーバスター

1960年代半ばから70年代末までに生まれた人を指す。アメリカのベビーブーム（baby boom）は1964年で終わり、1965年以降70年代末まではそれ以前と比べ出生率が大きく下がった。この時期に生まれた人々を「ベビーバスター」と呼ぶ。

Don't throw out the baby with the bath water. 《ことわざ》風呂の水と一緒に赤ちゃんを流してはいけない。

「不要なものと一緒に大切なものまで捨ててはいけない」という意味のことわざである。「角を矯めて牛を殺す」という日本語のことわざにも通じる。

fur baby   愛情をそそがれているペット

文字どおりの意味では「毛皮のある赤ちゃん」ということで、人間の赤ちゃんのように愛情をそそがれているペット、特に犬や猫をこのように呼ぶ。

back 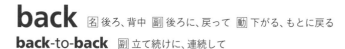 名 後ろ、背中　副 後ろに、戻って　動 下がる、もとに戻る

back-to-**back** 　副 立て続けに、連続して

Today, I must attend four meetings back-to-back. は「きょうは
立て続けに4つの会議に出席しなければならない」のように使うが、
attend four back-to-back meetings と形容詞的にも使う。また、車
が数珠(じゅず)つなぎになっている状況（bumper-to-bumper traffic）からの連
想で、bumper-to-bumper も同様の意味で用いる。

back-to-school sale　新学期セール

アメリカでは9月の新学期に合わせて、8月中旬から全国で文房具
や参考書、衣料品などの大セールが展開される。back-to-school
shopping は、新学期に必要なこうしたものを買うこと。

防弾バックパック需要

近年問題となっているのは、こうしたセールにおいて、背中
部分に鉄板の入った bulletproof backpack（防弾バックパッ
ク［リュックサック］）が売られるようになってきていること。
ニューヨーク・タイムズは、そうしたバックパックの需要が
高まっていることを、Bulletproof Backpacks in Demand for
Back-to-School Shopping という見出しの記事で報じてい
た（2019年8月6日付）。こうした動きの1つのきっかけとな
ったのは、2007年4月にバージニア工科大学で起きた銃乱
射事件である。これは、容疑者が32人を射殺し、数十人を負
傷させたもの。

---

back to (the) basics　基本に返って

教育や政治などにおいて、基本的原則に回帰することを求める運動
や意気込みなどについて使われる。back-to-basics strategy は「（行

き詰まった時などに使われる）基本に返る戦略」のこと。

• We have to go back to the basics of customer service.（私たちは、顧客サービスの基本に立ち返らなければならない）

back-to-the-office trend　職場に戻るトレンド

在宅勤務から職場勤務にシフトするという変化や動向のことである。☞ RTO

behind someone's **back**　人の背後で、人に隠れて

人を裏切って害を加える、あるいは陰口をきく人のことは back-stabber と呼ぶ。stab someone in the back といえば、「人の背後から刺す」から「人を中傷する、裏切る」ということ。

• He's my friend that speaks well of me behind my back.（陰で私のことをよく言う人は、私の友人である。—イギリスの歴史家の Thomas Fuller（1608-61）のことば）

creep **back**　徐々に［ゆっくり、こっそり］戻る

• Recent surveys indicate that consumer confidence is creeping back.（最近の調査結果によると、消費者の購買意欲は徐々に回復している）

go **back** to square one　出発点に戻る、振り出しに戻る

石蹴り遊び（hopscotch）などで、「出発点に戻る」ことを言う。同様の意味の日本語に「振り出しに戻る」があるが、この「振り出し」は道中すごろくの起点を意味している。go back to the drawing board とも言う。drawing board は「製図板」「画板」のことで、比喩的に「設計段階」「構想段階」を指す。

• When the pilot project failed, it was back to square one for the researchers.（試験的プロジェクトに失敗して、研究者たちは振り出しに戻った）

laid-**back**　形《俗》のんびりとした、くつろいだ

人について用いる場合、非常にリラックスしていて、心配したり怒っ

たりすることがあまりない、といった意味の形容詞。もともとは1970年頃のヒッピー用語で、easy rider と呼ばれた気ままな若者たちがオートバイの背もたれにゆったり寄りかかった姿勢を指したようだ。

• Benjamin is so laid-back on the job he sometimes seems to be lazy.（仕事中のベンジャミンはあまりにものんびりした様子なので、怠けているように見えることもある）

pat on the back　称賛のことば ☞ pat

ball 名 ボール、球

ball game　球技、《米》野球、状況

文字どおりには「球技」のことだが、アメリカの national pastime（国民的娯楽）とも 呼ばれる「野球」を指すことが多い。(completely) different ball game あるいは (whole) new ball game はアメリカの口語で、それぞれ「(完全に) 異なる状況[事態]」、「(まったく)新しい状況[事態]」のこと。

• It's a whole new ball game now that we have "generative AI," the new technology that can generate humanlike text on demand.（今ではオンデマンドで人が書くようなテキストを生成できる新しいテクノロジーの「生成 AI」があるので、まったく新しい状況である）

• Welcome to the cashless society. The way money changes hands has evolved rapidly in recent years. It's a whole new ball game, especially in the restaurant business.（キャッシュレス社会の到来だ。お金をやり取りする方法は、近年急速に進化している。それは、これまでにないまったく新しい状況で、特にレストラン業では顕著だ）

ballpark figure　概数、概算

ballpark は「野球場」のことで、in the ballpark といえばアメリカの俗語で「概ね合っていて」という意味。ballpark figure は「概数」「おおよその費用」を意味する。

drop the **ball** 《米》《口》へまをする、ミスをする

アメリカンフットボールなどの球技からの比喩表現。「（球技において）ボールを落とす」というところから、「ミスをする」「期待を裏切る」ということ。また、carry the ball は「（1人で）責任を取る」「（計画などを）率先してやる」の意。The ball is in your court. はテニスの表現からの言い回しで、「今度はあなたの番だ」ということ。

get the **ball** rolling   物事を順調にスタートさせる［軌道に乗せる］

直訳すれば「ボールを転がし始める」ということだが、「（物事を）順調にスタートさせる、軌道に乗せる」という意味で使われる。

• We're holding a meeting next week to get the ball rolling on the joint venture. (私たちは、合弁事業を軌道に乗せるために、来週会合を持つことになっている)

on the **ball**   抜かり［抜け目、油断］がない、注意が行き届いて、機敏な

(keep one's eyes) on the ball の「（球技において）ボールから目を離さない」という意味から、「油断［抜け目］がない」「よく心得ている」「状況をよく見て素早く対応する」というニュアンスで使う。

play hard**ball**   強引［強硬、攻撃的］に振る舞う

野球で女性やノンプロが softball を使うのに対して、男性のプロの選手が hardball で試合をするところからきたイメージ。1973年頃からのアメリカ俗語で、主に政治とビジネスの分野で使われている。

野球用語由来の表現

野球用語で、一般的に使われるようになったフレーズもたくさんある。hit a home run といえば「ホームランを打つ」から「際立ったことをする」という意味になる。go to bat for somebody は、「代打に立つ」から「（人）を後援［支持、擁護］する」の意。rain check は「雨天引換券」で、野球や野外音楽会など屋外行事が中途で雨になった時、または雨で順延

になった時にわたす切符のことだが、Can I take a rain check? は、「今回は都合が悪いのですが、また今度お誘いください」という意味で、食事の招待などを断る際の決まり文句である。major league は「メジャーリーグ」のことだが、形容詞として使って major-league orchestra といえば「最高級のオーケストラ」ということになる。

bank [名] 銀行 [動] 銀行に預金する

bank on …を当てにする、…を信用する

(like) money in the bank は口語で「(銀行に預けたお金のように)絶対確実な[安心な]」ということ。そうした意味の延長として、bank on [upon] は「…を見込む」「…を期待する」という意味合いで使う。

base [名] 基礎、土台、(野球の)塁(るい)

be caught off **base** 《口》不意をつかれる、あっけにとられる

「塁を離れた時にアウトになる」という野球用語から出たもの。off base は「間違って」「的外(まとはず)れな」という意味でも使う。

• The police were totally off base when they arrested peaceful demonstrators.(平和的なデモ参加者を逮捕した警察は、まったく間違っていた)

cover [touch] all the **bases** 万全の手を打っておく、あらゆるものを対象にする

野球用語の「(守備で)すべての塁を守る」「(ホームランを打ったあと)すべてのベースを確実に踏む」から、「手抜かりなくやる」という意味。

touch **base** with (人)と短く話をする、(人)に連絡を取る

「ベース[塁]にタッチをする」という野球用語から。get to first base は「1塁に行く」から、「第1段階を達成する」「よいスタートを切る」

「初期の工程を終える」ということ。

bean 名豆

bean counter 《口》経理係、会計士

経理、会計、財務などの職業のニックネームの1つ。「数字しか頭にない」といった多少軽蔑的な響きがある。「大量の計算をする人」という意味の number cruncher とも呼ぶ。

> **職業のニックネーム**
>
> • headhunter　正式には executive recruiter と呼ばれる幹部級人材スカウト係（＊もともとは「首狩り族」の意）
> • techie　コンピュータなど IT の技術系の人たち
> • lab rat　実験室で働く科学者やリサーチャー
> • wordsmith　ライターや編集者（＊ smith は「細工師」の意）
> • road warrior　セールスやコンサルティングなど出張に出ることの多い人（＊「道路戦士」という意味。かつての出張は車を使って道路を行くことが多かったため）

beat 動 まさる、しのぐ

• When it comes to Chinese food, you can't beat Hong Kong. （中華料理といえば、香港にまさるところはない）
• Filing our taxes online sure beats filling in paper forms. （オンラインで税金を申告するのは、紙のフォームに記入するよりもずっと楽だ）

been 動 be の過去分詞

Been there, done that.　そこには行ったし、それもした。

「1回すればもう十分」「飽き飽きしている」という意味。

• I don't want to climb Mt. Fuji again. Been there, done that.
（富士山に再び登りたいとは思わない。富士山には行ったし、登った）

　また We've all been there. と言えば「だれでもそうした経験をしたことがある」と、相手に同情心や共感を示すためにも使われる。たとえば、大きなミスをした同僚に、このように言うことがある。

• I know you really regret the mistake. But we've all been there. Everyone's messed up at some point.（あなたが間違いを本当に後悔していることはわかる。でも皆同じ経験をしてきた。だれでもどこかでしくじることはある）

belt 图 帯、ベルト

Rust **Belt**　ラストベルト　☞ rust

tighten one's **belt**　（経済的困難に耐えるため）倹約［節約］する、財布のひもを締める

　「ベルトをきつく締めて空腹や困難に備える」ということから。tighten the purse strings も「財布のひもを締める」から「支出を厳しく管理する」こと。また belt-tightening は「緊縮（政策）」「耐乏（生活）」の意。

best 形 最良の、最もいい

best practice　最良の手法、ベストプラクティス

　ほかの手法を使用した場合より常に優れた結果を生むやり方・手法のことで、ベンチマーク（評価のための指標）とされているもの。

hope for the **best**　うまくいくように願う、よい結果になることを望む

　Hope for the best and prepare［plan］for the worst. は、「最高を望み、最悪に備えよ」の意味のことわざ。

the **best** and the brightest　抜群の［最高に優秀で有能な］人材

　「選び抜かれた秀才［エリート層］たち」のこと。the best there is と

か the cream of the crop とか呼ばれる「選りすぐりの人たち」のことだが、ビジネスの世界において頭がよくて成功している若者のことは、whiz (-) kid などと呼ばれる。

　The Best and the Brightest (1972) は、ニューヨーク・タイムズ記者の David Halberstam による本の題名でもある。1960年代アメリカ政界で「最も有能で、最も聡明なはずの人たち」が、アメリカをベトナム戦争の泥沼に引きずり込む様子を描いたノンフィクション。

bike 名 自転車、オートバイ

bike kitchen　バイクキッチン

地域社会の資源センターとして、主にボランティアが自転車を修理したり、安全なサイクリングについてのワークショップを開いたり、整備技術を教えたりする場所。地域活動にも関わり、亡命希望者や難民、貧困状態にある人たちに自転車を無料で提供する活動をしているところもある。その多くは非営利組織となっている。

bill 名 請求書、勘定、(イベントなどの) プログラム、ビラ

fill the **bill**　十分である、必要条件を満たす

「完璧」というよりは「まあまあ」といった程度のこと。この bill は劇場用語の「催し物のプログラム」のことで、「完全にぴったりではないが、まあ何とかプログラムに載せられる」という語感である。

pick up the **bill**　《口》勘定を払う

主にレストランの食事やバーなどで数人分の「勘定を払う」ということ。この bill は「勘定書」の意味。bill の代わりに tab や check も用いる。また、同じ意味でアメリカでは foot the bill も使う。これは、勘定書きの一番下のところ (foot) に自分の名前をサインして、支払いの責任を負うところから出た表現とされている。

• My boss always picks up the bill when we go out for drinks.

（私の上司は、飲みに行くといつも勘定を払ってくれる）

bird 　名 鳥

鳥に関する語では avian（鳥、鳥の）などもある。avian flu は「鳥イン
フルエンザ」のことである。

birding　バードウォッチング

動詞としての bird には「野鳥観察をする」という意味があり、birding
は bird-watching のこと。bird-watcher は birder とも呼ぶ。

early **bird**　名《口》早起きの人

The early bird catches the worm. は「早起き鳥は虫を捕まえる」
から「早起きは三文の得」を意味することわざ。「夜更かしする人」
「宵っ張り」を夜行性である「ふくろう」にたとえて night owl と呼
ぶが、「早起きの人」は morning lark と「ひばり」にたとえる。また、
rise with the lark は「早起きする」ということ。

early-**bird**　形《口》早朝の、早起きの人のための

アメリカでは Early-Bird Special などと書かれた看板をよく見かけ
るが、これは早朝に通学・通勤する人のための朝食や駐車場の料金
割引サービスのこと。

bite 　動 噛みつく、食いつく

bite off more than one can chew　自分の能力以上のことをしよ
うとする

口いっぱいに食べ物を詰め込んだために、噛み下すのに苦労してい
る様子から出てきた比喩と考えられる。

bite the bullet　歯を食いしばって耐える、困難に立ち向かう

麻酔薬がない時に、戦場で負傷した兵士を手術する際に弾丸
（bullet）を噛ませて痛みをこらえさせたことからきた、と言われる。
また、bite the dust は「失敗する」「死ぬ」の意。

•I'm going to have to bite the bullet and tell my boss that I made a big mistake in my report. (報告書に大きなミスをしたことを、覚悟を決めて上司に伝えるしかなさそうだ)

blah 名 おもしろくないこと 形 つまらない
blah, blah, blah （げんなりした気分で）とか何とか、何とかかんとか

「などなど」「うんぬん」「しかじか」といった意味で、全部を言わずに省略することで、げんなりした気持ち、あるいはうんざりした気持ちを表すもの。

•My boss said I was below par, not punctual, too loud, blah, blah, blah. (私の上司は、私が標準以下だ、時間を守らない、声が大きくうるさいとか何とか言った)

blow 動 （風が）吹く、（楽器など）を吹く
blow [toot] one's own horn [trumpet]　自画自賛する、大風呂敷を広げる、自己宣伝をする、自慢話をする ☞ horn

blow the whistle　警告する、通報する

スポーツの審判が警告したり反則を止めさせたりするためにホイッスルを鳴らすことから、「警告を発してやめさせる」という意味と、「人のことを通報する」「（内部）告発する」「密告する」という意味がある。内部告発者は whistle-blower と呼ぶ。

blue 名形 青（い）
blue-chip company　優良企業、一流会社

blue-chip は証券用語で「確実優良な」ということ。そこから「優れた」「一流の」といった一般的な意味でも使われる。blue chip だけでも「優良株」「優良企業」を意味する。ポーカーの、高い点数用の青いチップに由来する、と言われる。

out of the blue　青天の霹靂(へきれき)

like a bolt out of [from] the blue などとも言う。the blue は blue sky（青空）、bolt は thunderbolt（雷鳴）のこと。この2つは同時に起きることがめったにないところから、不意の出来事に対する驚きを表す表現。

something old, something new, something borrowed, something blue　古いもの、新しいもの、借りたもの、青いもの ☞ old

blur 　動 ぼんやりさせる、目がかすむ　名 はっきり見えないもの［状態］

・In the digital age, the boundary between work time and private time has blurred.（デジタル時代には、仕事の時間とプライベートな時間の境があいまいになってきた）

・Jim blurred part of the photo so the street address wasn't legible.（ジムは、道路の住所表示が判読できないように、写真の一部を不鮮明にした）

Blursday　名 ブラーズデー、どの曜日かはっきりしない日

「ぼやけた」「かすんだ」という意味の blur と day を組み合わせて曜日の名前のようにした語。2020年 *Oxford Languages* の Words of the Year の1つに選ばれた。リモートワークをしていると毎日が同じようなパターンになるため、何曜日なのかがはっきりしなくなるような日（a day of the week that is indistinguishable from any other）のことを言う。

boat 　名 ボート、船

「船」のことだが、日本語の「ボート」より大きな汽船や客船、大型船までも含む場合がある。

in the same boat　同じ境遇［立場、運命］にあって

運命共同体としての小さな船に乗っている状況からの比喩。行動・

運命を共にするという意味では日本語の「一蓮托生」とも似ている
が、be in the same boat は一般的に好ましくない状況を共有する
こと。よい意味ではあまり使わない。

• The entire company is in the same boat this year. Management
decided to cut bonuses across the board.（今年は会社全体が苦境を
共にしている。経営陣は全社的にボーナス削減を決定した）

rock the **boat** 　平静な状態をかき乱す、波風を立てる

「船を揺らす」というところから。miss the boat は「船に乗り遅れ
る」から「好機を逸する」「しくじる」、burn one's boats は「船を焼
く」から「後戻りできない状況を自ら作る」「不退転の決意をする」と
いう意味で、いずれも口語のイディオム。

• George rocks the boat deliberately to set off heated debates.
（ジョージは、わざと事を荒立てて激しい論争を引き起こす）

body 名体

body clock　体内時計

biological clock や internal clock とも呼ばれる生理学用語の「体
内時計」のこと。この語が一般化したのは「時差ぼけ」（jet lag）という
現象が認識されるようになってからのこと。jet lag は旅客機がジェ
ット化した1960年代の造語である。いくつかの time zones を越え
て飛行機で移動すると、通常の生理的リズムがくずれ、いわゆる「時
差ぼけ」を起こす。時差は体調に微妙な影響を与え、たとえば8時間
の時差のある旅行をすると、脈拍が通常に戻るまで8日もかかるこ
とがあるとされている。時差ぼけについてはまだよく解明されてい
ない点も多いのだが、一般的に東から西に旅行する時のほうが、そ
の反対より楽だと言われている。

body-positive movement　ボディーポジティブ運動

body-positivity movement とも言う。欧米では10年ほど前から盛

り上がりを見せている社会的な運動。画一的な美の基準から解放されて、体重や体型の多様性を受け入れようというもの。

boil 動 煮る、沸騰す［させ］る

boil down to   結局のところ…になる

原義的に boil down は「（液体が）煮詰まる」ということだが、そこから転じて「（議論が）煮詰まる」「要約すると…になる」の意でも用いられるようになった。

• Learning a foreign language boils down to practice, practice, practice.（外国語を学ぶことは結局のところ、練習、練習、練習に尽きる）

boiling 名 沸騰化

国連のアントニオ・グテーレス事務総長が2023年7月に、The era of global warming has ended; the era of global boiling has arrived.（地球温暖化の時代は終わり、地球沸騰化の時代がやってきた）と警鐘を鳴らした。気候変動や生物多様性喪失といった地球規模の課題解決に向けたルール形成の重要性が一段と高まっている。

bone 名 骨

have a funny **bone**   《口》ユーモアのセンスがある

funny bone は sense of humor（ユーモアのセンス）のこと。tickle someone's funny bone はイディオムで、「（人）を笑わせる［面白がらせる］」ということ。funny bone がどうして sense of humor を意味するのかについては定説がないが、上腕骨を意味する humerus が humorous と音が似ていることからなどとも言われる。

book 名 本

go by the **book**   《口》型どおりにやる、規則どおりにやる

「本に書いてあるとおりにする」というところから。

book 176

• The company has strict policies regarding harassment, and all employees are expected to go by the book in all their dealings with coworkers.

（会社はハラスメントに関する厳格な規定を持っており、全従業員は同僚とのすべての関係においてルールに従うことが求められている）

hit the **books**　《口》(熱心に)勉強する

at one's books は「勉強中で」ということ。

in my **book**　《口》私の考え[意見]では

慣用句で「私に言わせれば」の意。物事の善し悪しについて、自分の意見や判断を言う場合に使う。Not in my book. は「私の意見ではそうではない」ということで、不賛成の意思表示。

• Integrity is the most important virtue in my book, and I highly value people who are open and honest.

（私にとって誠実さは最も重要な美徳であり、率直で正直な人を私は非常に尊重している）

physical **book**　物理的な[紙の]本

p-book とも表記され、p は physical、print、printed、paper などの略。p-book はメディアの記事の中などではよく目にするのだが、p が、「おしっこ（する）」を意味する pee と同音なので、口に出して言うのはちょっと具合が悪いかもしれない。いずれにしても、p-book は新しい retronym（＊「懐古」「復古」の意味の retro と、「語」を表す -nym の合成語で、本来の意味と新しい意味を区別するためにつくられた新語のこと）である。今後 e-reader で読む「電子書籍」(e-book) の普及が進めば、ただ単に book と言った場合には、それが紙に印刷された従来の「本」のことなのか、それともインターネットからダウンロードする「電子書籍」のことなのかがあいまいになるからだ。

take a leaf from someone's **book**　(人)のやることを手本にする[まねる] ☞ leaf

used **book**store　古書店

「古本」のことは普通、used book や secondhand book と呼ぶ。古書店で売られている本の中には、rare books（希少本）、first edition books（初版本）、out-of-print books（絶版本）などがある。「中古の」を意味する婉曲語として、車や什器などについては previously owned、あるいは短縮して pre-owned も使う。ちなみに、中古品の広告には、like-new（新品同様の）もよく見られる。

boom　图 大流行、ブーム　動 にわかに景気づく

baby **boom**er　ベビーブーマー　☞ baby

booming　形 急成長の、活況の、にわかに景気づく

• Luxury goods are enjoying booming sales this fiscal year.
（今年度は高級品の売り上げが急増している）

• Watermelon sales are booming as summer hits peak heat.
（夏の暑さがピークに達し、スイカの売り上げが急増している）

• My uncle's new restaurant is now up and running. And his business is booming.（私のおじの新しいレストランは今では順調だ。そして彼の店は繁盛している）

• When the economy was booming it was an easy thing to job-hop, but it's much more difficult nowadays.（景気がいい時には、職を次々に替えるのは簡単なことだったが、昨今ではかなり難しくなっている）

boot　图 長靴　動 （コンピュータなど）を起動する

boot camp　短期集中セミナー［ワークショップ］

もともとはアメリカの海軍・海兵隊などにおける短期の厳しい訓練プログラム（short, intensive training program）のこと。boot は軍隊の俗語で「新兵」の意。boot camp は今では、一般的に短期集中セミナーなどの意味で使われる。IT boot camp といえば、短期間にプ

ログラミングなどのスキルを教えるコース、sales boot camp は短期間でセールスの手法などを教えるコースのこと。

born 動（be born で）生まれる（bear の過去分詞）

be **born** with a silver spoon in one's mouth　裕福な家に生まれる、高貴な家柄の生まれである

　文字どおりには「銀のスプーンを口にくわえて生まれる」であるが、「銀のスプーン」は「豊かな富」、特に「相続した財産」を象徴する。spoon の語源はアングロ・サクソン人（Anglo-Saxon）が話した古英語の *spon* で、chip of wood（木片）を意味したので、最初のスプーンは木で作られていたようだ。19世紀ごろまで、多くの人は pewter（ピューター）（＊錫と鉛などとの合金）でできたものを使っていたが、特にヨーロッパの裕福な人々の間では、洗礼の儀式（christening ceremonies）として、名付け親は子に銀のスプーンを贈る習慣があった。そこから裕福な家に生まれ、教育や環境などすべての面において「何不自由なく育つ」（privileged upbringing）、「生まれながらにして特権を持っている」（born into privilege）といった意味合いのこの表現が生まれたとされる。

boss 名 ボス、上司 動 上司のように振る舞う

boss someone around　（人）をこき使う

　この boss は「ボス［上司、親方］として振る舞う」ということだが、あまりいい意味で使わない。「（人）をあごで使う［支配する］」「いばり散らす」「こき使う」といった否定的な意味に使うことが多いようだ。

buck 名 雄ジカ、《米》《口》ドル

bang for the **buck**　《米》《口》出費に見合うだけの価値、大きな効果

　bang は「バンという音」のことだが、「活気」や「大成功」「興奮」の意

もある。また、buck は「ドル」のこと。value for money は「お金を払うだけの価値のあるもの」という意味。

make a quick **buck**　手っ取り早く金を稼ぐ、さっとひともうけする

quick buck は「楽にかせいだ金」「あぶく銭」(easy money) のこと。make a fast buck とも言う。

pass the **buck**　責任転嫁する

この buck は「雄ジカ」のことだが、buckshot（「シカ玉」、狩猟用の大粒の散弾）、あるいは buckhorn（シカの角、あるいはシカの角を柄に用いたナイフ）の略でもある。ポーカーで次の親 (dealer) がだれであるかを示すために、プレーヤーからプレーヤーに回されたと言われる。

　政治責任のたらい回しに怒ったハリー・トルーマン大統領が、1946年にホワイトハウスの自分のデスクの上に The buck stops here! という sign を置いたことは有名である。「責任のたらい回しはしない」「全責任は私が負う」ということ。

・Never pass the buck and blame your subordinates. Hold yourself accountable for the outcome.（責任転嫁をして部下のせいにしてはいけない。結果に責任を持て）

take home big **bucks**　《口》高額を稼ぐ

big bucks は口語で「大金」のことで、spend big bucks は「多大な費用をかける」「大金を費やす」ということ。take home は「家に持って帰る」、つまり、「手取りで…の賃金をもらう[得る]」という意味である。また、take home は take-home とハイフンを入れて形容詞として使うと「持ち帰りの」「手取りの」という意味になり、take-home pay は「手取りの給与[賃金]」のこと。

burn　動 燃やす、燃える

burn one's bridges　自ら退路を断つ

Don't burn your bridges behind you. は、「退却の道を断つな」と

いうこと。転職に際しては、以前の会社や同僚と再びどこで接点ができるかわからない、けんか別れをして飛び出すなといった意味で使う。

burn the candle at both ends　無理をする

「ろうそくの両側から火をともす」という意味だが、仕事などで体力的に「無理をする」、精力・金銭などを「激しく消費する」ということ。

burn the midnight oil　(仕事・勉強などで)夜更かしをする

「深夜の油を燃やす」だが、勉強や仕事などのために深夜まで起きていることについて言う。

burned-out　形 燃え尽きた、疲れきった、衰弱した

burn oneself out からできた形容詞で、体力や精神力を使い果たした状態を表す。イギリス英語では burnt-out ともつづる。

burnout　名 燃え尽き症候群、疲労

体力や精神力を使い果たして燃え尽きるといった意味。名詞としての burnout は、「全焼」「焼損」などの一般的な意味でも使われる。

• Corporate America is a breeding ground for stress and burnout. (アメリカのビジネス界は、ストレスや燃え尽き症候群の温床になっている)

燃え尽き症候群

1970年代の半ばに、アメリカの精神分析医の Herbert J. Freudenberger が、burnout syndrome はストレスの多い現代の生活様式と直接的な関係があるという説を初めて発表した。80年代の終わりごろには、depression や nervous breakdown といったことばに代わって、「主に仕事のストレスによって起こされる肉体的あるいは精神的な疲労」という意味で一種の流行語として使われるようになったもの。

bush 名 灌木（かんぼく）、やぶ 動《口》疲れきらせる

be **bushed** 《口》疲れきっている

名詞の bush は通常「灌木」「やぶ」といった意味だが、be bushed は
口語で「疲れきっている」という意味になる。be tired あるいは be
fatigued ということ。

beat around the **bush** 《口》回りくどい言い方をする、遠回しに言う

イギリス英語では、around の代わりに about を使うこともある。狩
猟をする際、やぶの周囲をたたいて中に潜んでいる獲物を追い出そ
うとする方法にたとえたイディオム。I have never been accused of
beating around the bush. は、「私は遠回しに言うと非難されたこ
とはない」で、「単刀直入に言いますよ」ということ。

• Let's not beat around the bush. Did you hit your sales target?
Yes or no.（遠回しに言うのはよそう。売上目標を達成したのか。はっきり
返事をしなさい）

butt ❶ 名 （タバコの）吸い殻

• Don't throw away cigarette butts. Use an ashtray.（タバコの 吸
い殻を捨てないで。灰皿を使いなさい）

❷ 名 《俗》尻、けつ

• Don't just sit on your butt. Do something.（座ってばかりいない
で。何かをしなさい）

誰（た）がために座席はあるか

Seats are for butts, not your bags.

これはニューヨーク州で鉄道やバスなどの公共輸送を運
営している Metropolitan Transportation Authority（MTA）
が使っているスローガンの1つ。「座席はお尻を乗せるとこ

ろで、あなたのバッグのためではない」ということで、空いている座席に荷物を乗せて占領しないようにという警告文。

butt 動 (ヤギなどが)角で突く

butt in 《口》(話などに)口出しする

「干渉する」「(人のことや話)に口出しする」「出しゃばる」ということ。Mind if I butt in?(口を挟んでもいいでしょうか)のように用いる。
• Stop butting in on our conversation! (私たちの話に口を挟むな)
• Pardon me for butting in, but I just overheard you talking about finding a reasonable accommodations in Boston. (すみません、口を挟んでもいいですか。ボストンでの手ごろな宿泊施設について、皆さんが話しているのを、ふと耳にしたものですから)

buzz 名 《口》(喜び・興奮などで)わくわくする気持ち、高揚感、達成感

buzz は「(ハチや機械などの)低いぶんぶんうなるような音」を表す擬音語だが、口語では「興奮」「刺激」「活気」「話題」などを意味する。
• There's a lot of buzz lately about pet insurance, as the cost of veterinary care has skyrocketed. (動物医療の費用が急騰したことで、このところペット保険をめぐるいろいろな話題をずいぶん耳にする)

buzz marketing バズマーケティング

人の口から口へと伝えていくマーケティング手法のことを buzz marketing と呼ぶ。商品やサービスの利用者の口コミを利用する。

buzzword 名 (専門的響きを持つ)流行語、業界用語

例を挙げると、sustainability (持続可能性)、deliverable (提供できる具体的な成果物)、viral (ウイルスに感染したように急激に広まる、人気が出る)、B2B (business-to-business、企業向けの)、B2C (business-to-consumer または business-to-customer、消費者[顧客]向けの)など。

BYOB 　酒類持ち込み(制)(Bring Your Own Booze、Bring Your Own Bottle の略)

通常は、パーティーの招待状などに書く文句。そうしたパーティーをBYOB party、あるいは bottle party と呼ぶ。booze は「酒」を意味する最も一般的な語で、boozer は「大酒飲み」のこと。Boozers are loser. は、「大酒飲みは(人生の)敗者」という意味。

call 　動 呼ぶ、求める　名 呼びかけ

above and beyond the **call** of duty 　職務範囲を超えて

above and beyond は「…以上に」「(期待や予想など)の範囲を超えて」の意。call of duty は「使命感や義務感などの呼びかけ」のこと。beyond-call dedication は「責務以上の貢献」という意味。

• Sometimes Jill went above and beyond the call of duty for her client.(時折、ジルは顧客のために職務範囲以上のことをしていた)

call in sick 　病気で休むと連絡する、病欠の電話をかける

call in で「職場に電話をかける」という意味。病気欠勤日は sick day と呼び、通常は有給扱いとなる。

• I'd bet that half of the people who called in sick Monday were faking it. It was the Monday after Super Bowl Sunday.(実際のところは、病欠の電話をかけてきた人の半数は、きっと仮病を使っていたのだろう。その日は、スーパーボウルサンデーの翌日の月曜日だったので)

call it a day 　《口》(仕事などを)切り上げる、おしまいにする

「(仕事などを途中で)やめる、切り上げる」という意味の口語の決まり文句。Let's call it a day. は「仕事はまだ残っているけれど、きょうのところはこの辺で切り上げよう」ということ。call it a night は夕方や夜に「(たいていの場合は寝るために)やっていることをやめる」こと。

call it quits　終わりにする

　1日の仕事を終える時に、Let's call it quits. とも言う。

call the shots　主導権を握っている、采配を振る

　もともとは軍事用語で、「(大砲を)どこへ撃つかを指示する」という意味から派生したもの。

calling　图 天職、職業

　calling とは、目的意識 (a sense of purpose) や使命 (mission) を持って特定のキャリアを追求すること。仕事をする上で充実感や満足感を伴うことが多い。

　また、単に「職業」も意味し、改まったニュアンスがある。類義語の occupation もやや改まった語で、公文書などに用いられることも多い。What is your occupation? は相手の職業を尋ねる丁寧な言い方である。

so-**called**　形 自称の、本物ではない、いわゆる ☞ so

that's what I **call**　それこそが…だ

・That's what I call an original idea. Tell me more. I'm all ears.（それこそまさに独創的なアイデアですね。もっと教えてください。しっかり聞いていますから）

・"Even though we were discussing some crucially important issues, one member of the team was paying more attention to his smartphone than to the negotiations."（私たちはきわめて重要な問題を話し合っていたが、チームの1人ときたら、交渉よりも自分のスマートフォンを気にしていた）

　"Now that's what I call rude."（それはまさに失礼というものだ）

This **calls** for a toast.　これは乾杯の価値がある。

　call for は「…を(公式に)求める」や「…を必要とする」という意味。This calls for a toast. と言う場合、昇進や合格、結婚のような喜ばしいことがあって「これは乾杯しないと」ということ。

> **乾杯のあいさつ**
>
> 改まった場合の英語の乾杯の文句は、Let's drink a toast to the bride and bridegroom.（花嫁と花婿に乾杯しましょう）、I would now like to propose a toast to the health and happiness of our guests.（ご来賓の皆様の健康と幸せのためにここで乾杯をしたいと思います）、Let's raise our glasses and make a toast.（グラスを掲げて乾杯しましょう）などだが、インフォーマルな場合には To your health!（健康を祝して）や Here's to you!（みなさんに乾杯）、Cheers!（乾杯）、Bottoms up!（一気に飲み干して）などと言う。

wake-up call　人の目を覚ますような経験［出来事］、警鐘

ホテルなどで、朝、指定した時刻に起こしてもらうための電話を「モーニングコール」と呼ぶが、これは和製英語で、英語では wake-up call と言う。しかし最近では、客室に備えつけの目覚まし時計の利用や、電話機のボタン操作で自動音声の wake-up call を設定することを宿泊客に奨励しているため、このサービスは現在ほぼ姿を消している。

　wake-up call は、「目が覚めるような突然の警告」「近い将来の危険を気づかせるような出来事」「生活や仕事に将来大きな変化をもたらす前兆と解釈できるような恐怖体験」という意味にも使われる。

•Ken had a heart attack at 39. That was a real wake-up call and he has made some changes to his lifestyle, such as learning how to better cope with stress.（ケンは39歳で心臓発作を起こした。それで本当に目が覚め、ストレスにうまく対処する方法を学ぶなど、ライフスタイルを少し変えた）

care ［動］気にする、心配する ［名］世話、手入れ

care for　…を大事に思う、…の世話をする、…の面倒を見る

- Caring for a sick aging parent at home can be a round-the-clock chore.（家庭で病気の親の世話をするのは、一日中かかりっきりの大変な仕事になりかねない）

could [couldn't] **care** less　どうでもいい

couldn't care less がもともとの形で、I couldn't agree with you more.（まったく同感です）に対比して、1940年ごろからイギリスで使われ始めたようだ。*A Dictionary of American Idioms* によると、couldn't care less はイディオムで、「どうでもいい、まったく構わない」（to be indifferent; not care at all）という意味だが、面白いことに not のない could care less もまったく同じ意味になる。

　オーストラリア英語、カナダ英語にも取り入れられ、さらにアメリカ英語に入って、一種の流行語として使われ出したのは1960年代になってからである。could care less は couldn't care less の誤用から生まれたものと考えられるが、現在では両方とも使われている。いずれの場合にも less にアクセントを置く。

case ［名］場合、事例

worst-**case** scenario　（予想される）最悪の状況［場合］

危機管理における重要な考え方で、予想される最悪の状況を考えてみること。in a worst-case scenario（最悪のシナリオでは）と使うこともある。

cash ［名］現金 ［動］現金に換える

cash and carry　現金払い持ち帰り方式

卸売りや一部の小売業者が行っている、クレジットカード払いはな

し、配達なしの「現金払い持ち帰り方式」「現金店頭わたし方式での物品販売」のこと。cash-and-carry は「現金払い持ち帰り方式の」という形容詞であると共に、そうした方式を採るディスカウントショップを意味する。

cash in on …につけ込む、…を利用する

cash in 「(ポーカーの) チップなどを現金に換える [現金化する]」から、cash in on は「…を利用して利益を得る [もうける]」という意味のイディオム。

• Some people are trying to cash in on the fitness craze by promoting a series of online workout programs. (フィットネス・ブームに乗じてもうけるために、一連のオンライン運動プログラムを宣伝している人たちがいる)

cave 名 洞穴

man **cave** 《俗》男の隠れ家、男性専用の(小)部屋

ガレージ、書斎、オーディオルーム、地下の小部屋などを男性が好きなインテリアで飾った空間のことをユーモラスに man cave と呼ぶ。語順を反対にした cave man は「(石器時代の) 穴居人」「(原始人のような) 粗野な男」という意味。女性専用の空間のことは she shed と呼ぶ。shed にはもともと「納屋」「小屋」といった意味がある。

chat 動 おしゃべりをする、チャットで話す 名 おしゃべり、チャット

chatbot チャットボット、AIを活用した自動会話プログラム

chat と、robot の略の bot を組み合わせた語で、人工知能を組み込んだコンピュータが人間に代わって、ほかの人間と対話する「自動会話プログラム」のこと。人間が入力するテキストや音声に対して、自動的に回答するので、これまで人間がしていた「お問い合わせ対応」「注文対応」などの作業を代行することが可能である。

city　名 都市、都会

アメリカの都市のニックネームで City とつくものとしては、Detroit が Motor City（あるいは Motown）、Chicago が Windy City、Los Angels が City of Angels（あるいは L.A.）、Houston は Space City、Cincinnati は Queen City、Las Vegas は Sin City などとして知られている。また Denver は標高1,609メートル（約1マイル）のところに位置しているため Mile-High City と呼ばれている。

club　名 クラブ

Join the **club**.　お仲間ですね。

Join a club. は「クラブに参加しなさい」ということだが、Join the club. あるいは Welcome to the club. と定冠詞の the をつけた形は、「仲間になりましたね」「私たちは同じ立場ですね」という意味で、相手が自分と同じような（悪い）状況になった場合に使う。たとえば、相手が I had to quit remote work and return to the office.（遠隔勤務をやめてオフィス勤務にしなければならなかった）と言った時に、自分も同じ状況であれば Join the club. と応じることもある。

lonely hearts **club**　孤独な人たちのための集まり

特に「交際相手を求めている孤独な人たちのための集まり」の意味で使われる。lonely hearts column は新聞などの交際相手募集欄、あるいは結婚相談欄のこと。

coin　動 （新語など）を造り出す

coin は名詞としては「硬貨」「小銭」のことだが、動詞としては「硬貨を鋳造する」という意味で使う。そこから「（新語や新しいフレーズなど）を造り出す」という意味でも使われるようになった。

• The word "sci-fi" was coined in 1954 as the abbreviation of "science fiction."（sci-fi という語は science fiction の略として1954年に造り出された）

cold 形 冷たい

go cold turkey 《口》いきなり[きっぱりと]やめる

cold turkey は「冷たい七面鳥」で、もともとは、依存症の患者から麻薬やアルコール、タバコなどをいきなり完全に取り上げることで生じる禁断症状のこと。その結果震えや発汗などと共に生じる「鳥肌」を意味したと言われる。そこから、広く「悪習」を急にやめる時に使われるようになったもの。

• I can't believe David quit smoking cold turkey. He was such a chain smoker.（デイビッドがタバコをきっぱりとやめたとは信じがたい。かなりのチェーンスモーカーだったので）

come 動 来る、行く、…になる

come of …の結果として起きる、…に起因する

• Terry's report was full of mistakes. That's what comes of not double-checking.（テリーの報告書は間違いだらけだった。そうなったのは再確認しなかったからだ）

come on board 入社する、仲間に加わる

もともとは船や汽車、飛行機などの乗り物に乗ることを意味する。come on board a ferry（フェリーに乗る）などのように使う。また「（組織の）一員になる」「（組織に）参加する」という意味でも用いることができる。参加する組織［企業］を船のような大勢が乗る乗り物に見立てた表現。

新入社員を迎えて、最もよく聞かれるフレーズは、Welcome aboard. だろう。これも「ご搭乗［ご乗船］いただきましてありがとうございます」という文句だが、そこから「入社おめでとうございま

す」という意味で使われる。onboarding は人事用語で、「新入研修」「オリエンテーション」のこと。

• The president finally got everyone on board with the office move plan.（社長はついにオフィス移転計画に全員の賛同を得た）

come out　カミングアウトする

一般的には「（隠れていたものが）現れる」「（事実・真相などが）明るみに出る」ということだが、最近では「（隠れていた場所から）出てくる」「（秘密にしていたことを）公にする」の意味の come out of the closet の略としても使われるようになってきた。日本語でも「カミングアウトする」と言うが、「自分の性同一性（gender identity）や性的指向（sexual orientation）を明らかにする［公言する］」という意味。

come up on someone's radar (screen)　（人）の視野に入る［関心の的になる、頭に浮かぶ］

radar は radio detecting and ranging の頭文字を取った略語（acronym）。前後どちらから読んでも同一に読める回文（palindrome）でもある。「レーダー」「電波探知機」のことだが、このように比喩的に使う場合もあり、The problem of climate change is on everyone's radar (screen) these days. は「気候変動の問題は最近、すべての人の関心事だ」ということ。

come with　…を伴う、…が付いてくる

• Drug ads come with so many disclaimers these days you have to look for product information in the small print.（今では薬品の広告に多くの免責条項が記載されるので、細かい印刷文字の中から製品情報を探さなければならない）

come with the turf　《口》（義務などが）地位に付きものである ☞ turf

Oh, come on.　《口》いい加減にしろよ。

come on には基本的な「（こっちに）来て」のほかにも、「ふざけないで」「何を言うのですか」「やめろよ」「お願いだから」といった意味で

も使う。発音どおりに C'mon. と表記することもある。

where someone is **coming** from　（人）の言いたいこと

アメリカで1970年ごろから、相手の言動、感情、懸念、意図などの背景にあるものを意味する句として使われるようになった。I know [see] where you're coming from. は、「あなたの言いたいこと［気持ち］がわかる」ということ。

　　where someone comes from は「（人の）出身地」のこと。

• Chuck is so plain-spoken we can always understand where he's coming from.（チャックは率直なあまり、われわれは彼が何を考えているのかが常にわかる）

cook　動 料理する、ごまかす

一般的な「料理をする」という意味以外にも、「でっち上げる」「ごまかす」という意味もある。cook the books といえば、「帳簿をごまかす」ということ。

What's **cooking**?　《口》どう？　元気にしてる？

文字どおり「何を料理しているの?」という意味でも使うが、一般的に口語では How are you? あるいは What's happening? What's up? に代わるインフォーマルなあいさつのことばとして使う。

• "Hi there. What's cooking?"（やあ、どうしてる?）

　"Just surviving. What about you?"（まあ何とかやっているよ。あなたはどう?）

cool　形 すてきな、すばらしい、いかす

原義は「すずしい」「冷たい」だが、広く「かっこいい」といった意味を表す語として1950年代からよく使われるようになり、現在でも口語でよく用いられる。

• A cool thing about commuting by bike is that you get to see

New York City up close and in detail. （自転車通勤のすばらしいところは、ニューヨーク市を間近に細部まで見られることだ）

cope 　動 対処する

coping mechanism　対処メカニズム

ストレスや苦痛に直面した時の対処法のことを言う。日本でも「コーピング」として知られつつある。

• Keeping a diary can be a good coping mechanism for stress. （日記をつけるのは、ストレスへのよい対処法になりえる）

manage to cope　どうにか切り抜ける［対処する］

「困難な状況をうまく処理［対処］する」といった語感がある。

• Christopher's department is severely understaffed right now, but they've managed to cope. （クリストファーの部署は今深刻な人手不足だが、どうにか切り抜けてきた）

copy 　動 コピーする、写す　名 コピー、写し

copycat　動 まねをする　名 まねをする人

子猫が親猫のまねをするさまから出たもので、「まねをする人」という名詞と、「まねをする」という動詞の両方がある。多くの場合、悪い意味に使い、模倣犯による犯罪は copycat crime と呼ぶ。

> ### まねをする動物
>
> 日本語では「猿まね」と言うが、英語の ape（類人猿）は動詞として「猿まねをする」という意味もある。また、parrot は「オウム」だが、「（人のことば）をオウム返しする」という意味でも使う。

copy-paste 　動 コピーして貼りつける

いわゆる「コピペ」のことで、copy and paste とも言う。cut-paste や cut and paste もほぼ同じような意味で使う。

core 　名 中心部分、コア

core competency 　コア・コンピテンシー、核となる強み[能力]

企業の活動分野において、競合他社がまねできない中核となる能力や強み、中核技術などを指す。

cost 　動 （お金など）がかかる 　名 費用

cost a fortune 　《口》大金がかかる、値段がとても高い

a fortune の代わりに a small fortune も使う。small とあっても意味は同じで、「かなりの大金」「一財産」のこと。a pretty penny も同様に「大金」（a large sum of money）のこと。

cost an arm and a leg 　《口》法外な金がかかる

an arm and a leg は口語のフレーズで、「法外な値段」「とんでもなく大きな出費」という意味。

• It cost an arm and a leg to remodel the kitchen. （キッチンを改装するのにとんでもない金がかかった）

cost-effective 　形 費用（対）効果の高い、経済的な

「（かかった費用に対比して）効率のいい[生産性の高い]」ということ。cost-efficient とも言う。

cost of living 　生活費

個人や家族などが生活するために要する費用で、生計費とも言う。食料費、住居費、光熱費、被服費、保健医療費といった類いのものが含まれる。cost-of-living adjustment は生活費調整（制度）のことで、消費者物価指数の上昇に応じて賃金などを調整すること。COLA と略される。

cram 動 詰め込む、ぎっしり詰める

cram for a test と言えば「試験のために詰め込み勉強する」ということ。日本の「学習塾」は、英語では cram school と 呼ばれる。

crop 名 (穀物などの)収穫物
cream-of-the-crop 形 選びぬかれた、最も優秀な

the cream of the crop はイディオムで「最良のもの」「粒よりの人たち」という意味。cream は「ミルクの最上層のいちばん上等なところ」から「精鋭」を意味する。cream-of-the-crop graduate（最も優秀な卒業生）のように、形容詞として使われる。

crow 動 (オンドリが)鳴く、自慢する
crow about 《口》…を自慢げに言う、自慢する

crow の「(オンドリが時を作るように)鳴く」という意味から転じて、「うるさく自慢する」「勝ちどきをあげる」などという意味になった。It's nothing to crow about. は「それほどたいしたことはない」ということ。

crux 名 最重要点、難問

crux はラテン語で「十字架」(cross)を意味する。そこから転じて、英語では「最重要点」「肝心なこと」「難問」を意味するようになった。the crux of the matter や the crux of the problem のように使い、問題の「最重要点」「中心点」を意味する。

curb 名 (歩道の)縁石、くつわ 動 (好ましくない動き)を抑制する、(感情)を抑える

動詞の「抑制する」という意味は、名詞の「くつわ」(＊馬の口につける

馬具)から派生した動詞の「馬にくつわをつける」という意味から。curb the virus は「ウイルスを抑える」、curb spending は「出費を抑える」、curb cybercrime「サイバー犯罪を阻止する」ということ。

• Social distancing and wearing masks helped curb the virus.
(ソーシャルディスタンスの確保とマスクの着用は、ウイルスを抑えるのに役立った)

cure 名 治療 動 治す

An ounce of prevention is worth a pound of cure.
《ことわざ》百の治療より一の予防。

　直訳すれば、「1オンスの予防は1ポンドの治療に値する」。an ounce は比喩で、「少量」を意味する。「百の治療より一の予防」のこと。

cure-all　名 万能薬

同意語に panacea /pæ̀nəsíːə/ がある。

• Scientists have yet to come up with a cure-all for the common cold.(科学者たちはいまだに普通のかぜの万能薬を見つけられていない)

Prevention is the best cure.　予防は最良の治療。

Prevention is better than cure.(治療より予防)とも言い、日本のことわざの「転ばぬ先の杖」に通じる。

dark 形 暗い

in the **dark**est hour　いちばん苦しい時期に

dark は「暗い」だが、比喩的な「希望の持てない」「陰うつな」という意味もある。It's always darkest before dawn. はことわざで、「いちばん暗いのは夜明け前」「今はつらくとも、その後には明るい日の出が待っている」ということ。

• In Pete's darkest hour, Carl helped him out with a loan.(ピートがいちばん困っていた時期に、カールはお金を貸して彼を助けた)

data 名データ

data scientist   データサイエンティスト

意思決定者が大量のデータに基づいて合理的な判断を行えるように、それらのデータの分析をサポートする職務の人。統計解析やITのスキルに加えて、ビジネスや市場トレンドなど、幅広い知識が求められる。現代の人気職種の1つ。

• In this digital era, we all need to be data scientists who know how to look at numbers and spot trends. (このデジタル時代においては、だれもがデータサイエンティストになって、数字の見方やトレンドの見きわめ方を知る必要がある)

date 名日付

expected birth **date**   出産予定日

「出産予定日はいつですか」は When are you expecting the baby? だが、When are you expecting? だけ、あるいは When is the baby due? も使う。「出産予定日」は due date とも言うが、これには「(支払いなどの) 期日」「(図書館の本などの) 返却日」の意味もある。

「妊娠中」「身ごもっている」

be expecting (a baby) は口語で「妊娠中である」「身ごもっている」という意味で、主語は女性だが、「(カップルに) 子供が生まれる予定である」「親になる予定である」という意味で使うこともある。AP 通信社の記事の見出しに At 83, Al Pacino is expecting a baby with 29-year-old Noor Alfallah (2023年6月1日付) とあったが、これは83歳のアル・パチーノが29歳のヌーア・アルファラとの間に子供をもうけた、ということ。

expiration **date** 消費［賞味、販売］期限、有効期限

免許証やクレジットカードの「失効日」の意味でも使う表現で、イギリスでは expiry date と呼ぶことも。食品の「賞味期限」は best-by [best-before] date、「消費期限」は use-by date、「販売期限」は sell-by date。いずれも区別があいまいで、消費者に混乱を起こす恐れがあるので、現在では使用を制限する方向にある。

- Enjoy life. It has an expiration date.（人生を楽しめ。人生には賞味期限があるから）

go out of **date** 廃れる、時代遅れになる

out-of-date は形容詞で「時代遅れの」「旧式の」「廃れた」という意味。反対は up-to-date で「新しい知識［情報］を取り入れた」「最新の」「現代的な」「流行の」ということ。「最新の」の意味では up-to-the-minute も使う。

year to **date** 年初来

会計用語で「年初からきょうまで」「年初来」という意味。YTD と略すこともある。

DE&I 多様性、公平性、包括性（diversity, equity and inclusion の略）

最初は diversity and inclusion（D&I）としていたが、現在では equity を加えるのが一般的。diversity は人々のいろいろな違いを網羅する総括的な語であり、民族やジェンダーだけでなく、自分や祖先の出身国（national origin）、宗教（religion）、障害（disability）、性的指向（sexual orientation）、社会・経済的地位（socio-economic status）、教育（education）、婚姻状況（marital status）、言語（language）、外見（physical appearance）なども含む。equity は公平性、公平な扱いのことで、たとえば性別や人種の違いによる賃金格差の是正なども指す。そして inclusion は、そうした多様性を持った人たちを認め受け入れること。

deal 　名 取引、取り扱い　動 分配する、売買する

deal with　（問題・事件など）を処理［解決しようと］する、…に対応する

相手がぐずぐずしている時に命令形で deal with it と言えば、「さっさとやりなさい」「とにかくやりなさい」ということ。

・Kent, deal with it. You know that ignoring small problems results in them mushrooming into big ones.（ケント、何とかしなさい。小さな問題をほうっておくと、すぐに大きな問題に発展するものだ）

done **deal**　決着のついたこと、すでに終わったこと ☞ done

no big **deal**　《口》たいしたことではない

口語で「大騒ぎするほどのことではない」という意味だが、Big deal.は、「すごいね」のほか、皮肉として「たいしたものだ」という意味で使われることもある。make a big deal out of は「…について大騒ぎする」ということ。

deep 　形 深い　副 深く

deep in the middle of nowhere　人里離れた奥地の

同じような意味で miles from nowhere や at the end of nowhere も使う。out of nowhere は「どこからともなく（突然出現する）」「無名から（突然頭角を現す）」ということ。All dressed up and nowhere to go.（盛装をしても行く場所がない）は所在なさや人生の切なさを表す表現。

dent 　名 くぼみ、へこみ

make ［put］ a **dent** in　…を減らす、削る

The impact made ［put］ a dent in the fender. と言えば、「その衝撃でフェンダーにへこみができた」ということ。イディオムとしての make ［put］ a dent in は「…を減らす」「…を削る」「…を軽減する」

の意味で、make a dent in one's savings は「貯金を減らす」、make a dent in someone's pride は「人の自尊心を損なう」ということ。

• People today are buying their pets custom clothes, toys and pet strollers, in addition to pet insurance. All that can put quite a dent in their pocketbook. (今の人たちは、ペット保険のほかにも、ペットにオーダーメイドの服やおもちゃ、そしてペット用のベビーカーを買ってやったりしている。それらは皆、かなりお金がかかる)

dial 图（電話・ラジオなどの）ダイヤル　動ダイヤルを回す

dial telephone　ダイヤル式の電話

rotary phone とも言う。「プッシュホン」は push-button telephone と呼ぶ。現代でも、実際にはプッシュホンを使っている場合でも、Check the number before you dial. (ダイヤルする前に番号を確認してください) などと言う。redial は、電話機の「リダイヤル機能」を使って、あるいはただ単に「かけ直す」ということ。

「おかけになった電話番号は現在使われておりません。番号をチェックしてもう一度おかけ直しください」は、一般的に The number you dialed is not a working number. Please check the number and dial again. などと言う。working (phone) number は使われている電話番号のこと。

dime 图 10セント硬貨

「わずかな金額」「はした金」という意味でも用いられる。

「安売り店」の名前の変遷

主に1ドル以下の商品を売る「安売り店」のことをアメリカでは dollar store と呼ぶが、かつてはこうした店は five-and-ten、five-and-dime、nickel-and-dime、ten-cent store、dime store などと呼ばれ、多種多様な商品が5セントや10セント程度で売られていた。

a dime a dozen　形《米》《口》どこにでもいる、ありふれた、安っぽい

文字どおりには「1ダースで10セント」ということ。頭韻を踏んでいる。日本語では「一山百文」「二束三文」などとも言うが、「ざらにあって価値の低いもの」を意味する。cheaper by the dozen は「ダース単位ならもっと安い」である。

• Millionaires are a dime a dozen these days. Even billionaires aren't that uncommon.（今日では百万長者はどこにでもいる。億万長者もそれほど珍しくない）

nickel-and-dime　形 取るに足らない　動 けちけちする

nickel は5セント、dime は10セント。そこから nickel-and-dime は形容詞で「つまらない」「取るに足らない」といった意味になる。動詞としては、「けちることによって得る」「どうでもいいようなことで苦しませる」という意味でも使う。count nickels and dimes は、「わずかなお金でも大事にする」「けちけちする」ということ。

• The long recession had many formerly powerful companies counting nickels and dimes.（不景気が長く続いたために、以前は勢力のあった多くの企業がけちけちするようになった）

分別があった10セント硬貨

子供たちがするなぞなぞにこんなのがある。

"Why did the nickel jump off the Empire State Building but the dime didn't?"（5セント硬貨はエンパイアステートビルから飛び降りたけれど、10セント硬貨はそうしなかった。なぜか）

—— "Because the dime had more cents."（なぜならば10セント硬貨のほうがセントが多かったから）

ポイントは had more cents で、この cents は sense（分別、判断力）にかけている。sense /séns/ という語は、特にアメリカ英語においては /n/ と /s/ の間に gliding sound と呼ばれる /t/ の音が入り、cents とほぼ同じに発音される。

dodo　图 ドードー（鳥）、《口》時代遅れの人

dodo は、モーリシャス島（Mauritius）などに生息していたが18世紀の末ごろ絶滅した鳥。ハトの近縁で、七面鳥より大きく、動作が鈍くて飛べなかった。(as) dead as a dodo は「もう絶滅している」「時代遅れの」で、go the way of the dodo は「絶滅する」「廃れる」「時代遅れになる」という意味に使う。また dodo は口語で「愚かな人」「時代遅れの人」の意。

• Even though some people expected libraries to go the way of the dodo in this digital era, they've found new roles.（現代のデジタル時代において、図書館は姿を消すと思った人もいたが、図書館は新たな役割を見出した）

done　動 do（する）の過去分詞

Consider it done.　任せてください。

何かを頼まれた時の返事として最高のコミットメントを示すことばとされる。「もうできたと思ってください」というところから、「さっそくやりましょう」と相手を安心させる言い方。

done deal　決着のついたこと、すでに終わったこと

フランス語の fait accompli も同じ意味。

• Give it up, Terry. It's a done deal. There's no turning back.

（あきらめなさい、テリー。これはすでに決まったことです。もう後戻りはできません）

That's easier said than done.   それを言うのは簡単だが、行うのは難しい。それは、言うは易し行うは難しだ。☞ say

doom   名 悪い運命、凶運

doom and gloom   悲観、暗い見通し

gloom は「薄暗やみ」のことで、doom and gloom は「悲観」「暗い見通し」を意味するフレーズ。gloom and doom とも言う。形容詞は doom-and-gloom となる。

• Despite the doom-and-gloom predictions about the future of print media, some newspapers refuse to fade out.（印刷媒体の未来についての暗い予測にもかかわらず、一部の新聞は消え去ることを拒んでいる）

door   名 ドア、扉

show someone the door   （人）に退職を促す、（人）を追い出す

ドアを指さして人に出ていけというジェスチャーをするところから、「（人）を追い出す」という意味で使う。

down   副 下（のほう）へ、下がって、落ち込んで

be down   落ち込んでいる

• Dinner traffic has been falling for the past five or six years. In particular, lunch business is way down.（ディナーの客足は、ここ5、6年は減少の一途をたどっている。特に、昼食ビジネスは減少の幅が大きい）

down in the dumps   落ち込んで、憂うつな気分で

• Cathy's been down in the dumps since she failed the exam.（キャシーは試験に落ちて以降、落ち込んでいる）

down payment　頭金

分割払い（easy payment plan）や高額商品の購入などに際しての「頭金」のこと。形容詞としての down には「頭金としての」という意味があるが、「頭金として」という意味で副詞的にも使う。たとえば put [pay] 10 percent down と言えば「頭金として10パーセントを支払う」ということ。

downtime　[名] 作業休止時間、休憩時間　☞ time

down-to-earth　[形] 現実的な、地に足がついた、堅実な

同じような意味の形容詞としては、no-nonsense や businesslike、straightforward などがある。

•Greta is a great success as a marriage counselor because her responses to spouses' problems are so down-to-earth.（グレタが結婚カウンセラーとして大成功しているのは、夫婦の抱えている問題に対する彼女の応答がとても現実に即しているからだ）

dress-**down**　[形] カジュアルな服装の、普段着の

dress-down Friday はアメリカの口語で「カジュアルな服を着て仕事をしてもよいことになっている金曜日」のこと。jeans day などとも言う。dress someone down はイディオムで「（目下の者）を厳しく戒める」「（人）をしかりつける」という意味。

give a thumbs-**down**　拒絶する　☞ give

lock**down**　[名] ロックダウン、（緊急的な）避難、封鎖　☞ lock

ups and **downs**　浮き沈み　☞ up

duck　[名] アヒル　[動] 身をかがめる

duck は、「アヒル」を指す名詞だが、動詞として「身をかがめる」「伏せる」という意味もある。アヒルが頭をひょいと引っ込める動作から、そのような意味で使われるようになったもの。Duck! と命令形で言えば、「身をかがめろ」「伏せろ」ということ。

> **レーガン大統領のジョーク**
>
> 1981年に当時のアメリカ大統領ロナルド・レーガンが、ワシントンにおいて銃による暗殺未遂事件で重傷を負った。その際、病院に駆けつけたナンシー夫人に対して、Honey, I forgot to duck.（身をかわし忘れたよ）と冗談を言ったのは有名である。
>
> 　実はこのフレーズは、ボクサーのジャック・デンプシーが1926年に世界ヘビーウェイトタイトル戦で負けた時に夫人に向かって言ったことばとしても知られている。レーガンがそのことを意識していたかどうかはわからない。

duck and cover　ダック・アンド・カバー、かがんで身を覆う

爆発や銃弾から身を守るために、低い位置にしゃがんで何かの下に隠れ、顔と頭を覆うこと。duck-and-cover drill は1950年代の冷戦時代にアメリカで広く行われた避難訓練のこと。

take to something like a **duck** to water　自然に…に慣れる

アヒルは水に入るのが初めてでも自然に水になじむところから、「（性に合っていて）…にすぐになじむ」「…をすんなりと覚える」という意味。fine day for (young) ducks とか lovely weather for ducks と言うと「あいにくの雨天」「どしゃ降りの天気」のこと。

dump　動 (ごみなど)を捨てる

dump ... like a hot potato　…を厄介払いするかのように捨て去る

dump のかわりに drop を用いて drop ... like a hot potato とも言う。hot potato は「（だれも処理したがらない）厄介な問題」「難題」「役に立たないもの」のこと。

easy 形 簡単な 副 気楽に

easy mark 《口》だまされやすい人、カモ、お人よし

「容易に当たる的」から「だまされやすい人」「カモ」の意で使われる。easy game や sitting duck とも言う。

- You shouldn't tip too little and seem like a cheapskate. But at the same time, you don't want to give them too much and seem like an easy mark.（チップが少なすぎて、けちだと思われるのはよくない。とはいうものの、お人よしととられるほど、チップをはずむのもいけないね）

take it easy 《口》のんびりする、あわてない、休む

「焦らない」「くよくよしない」「リラックスする」といった広い意味で使われる表現。また Take it easy. はアメリカでは「じゃあね」といった、親しい間柄での別れの軽いあいさつでもある。

- Take it easy, Joe. It's only a suggestion, not an edict.（安心してください、ジョー。これはただの提案であって、命令ではないのですから）
- Will should take it easy at home for a couple of days. He'll get better faster that way.（ウィルは家で2、3日ゆっくりするほうがいいでしょう。そのほうが早くよくなるでしょうから）

echo 名 反響、反響音

echo chamber エコーチェンバー、反響室

自分と似た意見を持った人々が集まるソーシャルメディアのような場において、同じような意見を見聞きし続けることによって、それらが正しいことのように勘違いすること、あるいは、価値観の似た者同士で交流、共感し合うことで特定の意見や思想が増幅する現象のことを言う。

edge
图 とがったもの、(ナイフなどの)刃(の鋭さ)、優位、強み

have an **edge** over   …よりも有利である

have [give] an edge over artificial intelligence は、「人工知能(AI)よりも優位である」ということ。先端技術のことは leading-edge technology とか cutting-edge technology とも言う。

• Being able to speak two or more languages is a real plus in today's increasingly internationalized world. It gives you an edge over the competition.(国際化がますます進む今日の世界では、2つあるいはそれ以上の言語を話せることは、本当にプラスである。競争相手よりも優位に立てる)

take the **edge** off   (痛みや心配など)を和らげる、(刃物)の切れ味を悪くさせる

• Yoga can take the edge off after a stressful day.(ストレスの多い1日のあとでヨガをすると、疲れが癒やされる)

two-**edged** sword   諸刃の剣 ☞ two

else
副 別に、そのほかに

be something **else**   すごい、格別だ、絶品だ

人または物について使い、exceptional (特に優れた)、extraordinary (非凡な)、unique (ユニークな)などを意味する。

• You are something else!(君はすごい!)

• My new computer is really something else.(私の新しいコンピュータは本当にすばらしい)

get out of the way — or **else**   脇によけるか、さもないと (ひどい目に遭わせるぞ)

or else は「そうしないと…」「さもないと…」で、はっきりとは言わずに悪い状況になることを示唆することば。Do what I say, or else.

（言うとおりにしないとひどい目に遭う［遭わせる］ぞ）のように、命令文で使うことが多い。

emit 動 （熱・光・ガス・音などを）排出する、放出する

• This bug emits a noxious odor to drive away predators.（この虫は、捕食動物を追い払うために不快なにおいを発する）

envy 動 うらやむ、うらやましく思う

green with envy［jealousy］という表現がある。「ひどくうらやましがって」「ねたんで」という意味で、昔から嫉妬やねたみを感じると顔の色が青白くなると言われるところから。the green-eyed monster はシェークスピアの『オセロ』(Othello) から、「嫉妬」「やきもち」の意。

ESOP 従業員持ち株制度（employee stock ownership plan の略）

企業が自社株を買いつけて退職金や年金として従業員に分配する、自社株を使った報酬制度。退職まで自由に引き出せないが、退職時まで課税されない退職時雇用者株式給付制度である。アメリカなどで普及している。

ever 副 今までに、これから先

never ever 何があっても［絶対に］…ない

never のあとに、さらに強調するために ever を用いている。I'll never ever tell a lie. は「今後決してうそはつきません」ということ。I'll never tell a lie. Ever. も同じ意味で使う。

exit 名 出口、退去、撤退、（プログラムの）終了

exit interview 退職者面談

会社などを退職（exit）する際に会社の担当者（多くの場合は人事担

当者) と被雇用者の間で行われる面談のこと。

exit strategy　出口戦略、撤退計画

会社などの売却戦略、あるいはある業種からの損失を抑えるための撤退計画。軍事用語としては、「戦争を終結させて撤退するための戦略」などを意味する。

face　名 顔　動 直面する

face the challenge　難題［難問］に直面する

この face は動詞で「直面する」という意味。face the problem は「問題に直面する」、face the prospect は「可能性に直面する」ということ。face the facts あるいは face the reality は「現実を直視する」ということで、Let's face it. は「現実に立ち向かおう」ということ。Let's get real. とも言う。

• More than 40 million Americans face the problem of hunger. (4,000万人を超えるアメリカ人が飢えの問題に直面している)

• We face the prospect of running out of arable land. Vertical farming could be the answer.（私たちは耕作地不足の可能性に直面している。垂直農法がその解決策かもしれない）（＊垂直農法とは、高層建築物の内部で階層などを利用して農作物を栽培する都市型農法のこと）

face the music　招いた結果を潔く受け止める、困難に立ち向かう

The Facts on File Encyclopedia of Word and Phrase Origins には、「これは1850年に初めて記録されたアメリカ的表現のようだ。自分の行動の結果を直視する、という意味で、もともとは軍隊のスラングだったのかもしれない」(... this appears to be an Americanism first recorded in 1850. Meaning "to face up to the consequences of one's actions" it may have originally been army slang ...) とある。

face time　《口》顔を突き合わせての対話の時間

face time はインターネットやデジタル機器経由ではなく、実際に人

に会って、顔と顔を突き合わせて話をする時間（time spent in a face-to-face meeting with someone — *Merriam-Webster.com Dictionary*）のこと。1970年代の終わりごろからよく使われるようになってきた語。また FaceTime は Apple が開発し、いまや Windows PC などでも使える無料のビデオ通話・音声通話アプリの名称。FaceTime もしくは Facetime は、そうしたサービスを使うことを意味する動詞としても使う。ちょうど Xerox を「コピーを取る」、FedEx を「小口貨物を送る」という意味で使うように。

• Many managers believe face time helps build relationships and gets more done.（多くのマネジャーは顔を突き合わせて話す時間は、人間関係の構築に役立ち、在宅勤務時よりも多くの仕事ができると、信じている）

lose **face**　面子ンツを失う、顔がつぶれる、顔に泥を塗る

lose one's dignity before others（他人の前で面子を失う）という意味で、中国語からの直訳として英語に入ったフレーズの1つとされる。その反対は save face で「顔が立つ」「面子を保つ」。

meet **face**-to-**face**　直接会う

ちょっと気取って、「2人だけの密談」「内緒話」といったニュアンスで meet tête-à-tête /téitətéit/ と言うこともある。外交の文脈では「首脳同士の差しの会談」も意味する。tête はフランス語で「頭」の意味。face-to-face の代わりに one-on-one や eye-to-eye、eyeball-to-eyeball を使うこともある。

• Ultimately, there is no substitute for face-to-face contact.（結局のところ、直接顔を合わせてのやり取りに代わるものはない）

never take anything at **face** value　何事も決して額面通りに受け取るな

face value は「（債券・証券などの）額面価格」のこと。そこから比喩的に「額面どおりの価値」や「文字どおりの意味」になる。Do not accept promises at face value.（約束を真に受けるな）のように使う。

fake 　形 偽の　動 ふりをする、見せかける　名 模造品

形容詞の fake は「偽の」「模造の」という意味。fake news は「虚偽の情報［報道］」のことで、主にマスメディアやソーシャルメディアなどの媒体において事実と異なる情報を報道すること。fake investment deal は「投資詐欺」、fake diamond は「模造ダイヤモンド」、fake cure は「偽薬」のこと。

• Jaqui's fake fur looks so authentic, she's afraid of offending animal lovers.

（ジャッキーのフェイクファーはあまりにも本物っぽくできているので、彼女は動物愛護家を怒らせるのではないかと心配している）

　動詞の fake は「ふりをする」「見せかける」ということで、fake illness は「仮病を使う」、fake grief は「悲しみを装う」という意味。

• Faking sales data will get you into trouble. So don't!（売り上げデータをねつ造するとめんどうなことになるぞ。だからやめなさい）

　名詞の fake は「模造品」「いかさま師」「食わせ者」のこと。

• Look at the watermark. This $100 bill is a fake.

（透かし模様を見てくれ。この100ドル紙幣は偽札だ）

fall 　動 落ちる、下がる

fall by the wayside　途中で挫折する、頓挫する

人や計画が途中で頓挫する、挫折すること。by the wayside は「道ばたに」という意味。

• Terry's plans to write a novel ultimately fell by the wayside.

（小説を書くというテリーの計画は、結局途中で挫折した）

fall flat　《口》失敗に終わる、まったく通用しない、期待した成果があがらない

「少しも効きめがない」「期待した成果があがらない」といった意味

だが、ジョークが受けない場合などにも使う。

• Kim's recipes for soybean "meat" pies fell flat in kitchen taste tests.（キムの大豆「ミート」パイのレシピは、キッチンでの試食でまったくの期待外れに終わった）

• Bernice's presentation fell flat because she hadn't rehearsed enough.

（十分にリハーサルをしなかったために、バニースのプレゼンテーションはよい反応を得られなかった）

fall for ❶（ジョークやうまい話など）にだまされる、引っ掛かる

• I'm always amazed by how intelligent and well-educated people fall for such blatant rip-offs.

（私がいつも驚くのは、知的で高学歴の人たちがこんな見えすいた詐欺に、なぜか引っ掛かってしまうことだ）

❷ …に惚れ込む

• Carl fell for his wife in graduate school.

（カールは大学院時代に、妻となる女性に一目惚れした）

rise and fall （都市・国家などの）盛衰、興亡

本の題名にも、*The Rise and Fall of the Roman Empire*（『ローマ帝国の興隆と衰亡』）などがある。同じような表現に ups and downs（浮き沈み）や peaks and valleys [troughs]（山あり谷あり）がある。いずれも「変化に富むこと」を意味する。

fare 名（交通機関の）運賃、乗客

taxi fare タクシー代、タクシーの乗客

fare には、「運賃」と「乗客」の両方の意味がある。タクシー運転手にとっては、乗客＝運賃ということであろう。同じような関係の意味を持つ語に account がある。こちらは「（銀行）口座」と「得意先、顧客」という意味がある。

fave
名《俗》お気に入り（favorite の略）

•Brenda said the novel *Vanity Fair* was one of her all-time faves.
（『虚栄の市』という小説は、これまででいちばん気に入っている小説の1つ
だ、とブレンダは言った）

file
名 ファイル、書類とじ 動（公的な）申請をする

file for bankruptcy protection　破産を申し立てる、連邦破産法の
適用を申請する

　file for Chapter 11 とも言う。これは「（自発的破産申請による会社
　更生を規定する）連邦改正破産法第11章の適用を申請する」という
　こと。日本の民事再生法に相当する。

fill
動 満たす、埋める

fill the bill　十分である、必要条件を満たす ☞ bill

fill the void　空白［隙間、穴］を埋める

　void は「空白」「穴」ということだが、「空虚感」「むなしさ」という語
　感もある。

　•Everyone pitched in to fill the void after Debbie abruptly quit.
　（デビーが突然退職したあとに、皆が協力してその穴を埋めた）

film
名 フィルム

film camera　フィルムカメラ

　これは典型的な retronym（＊「懐古」「復古」の意味の retro と、「語」を
　表す -nym の合成語）である。

　　以前は、カメラといえば当然フィルムを使用するものだったのだ
　が、digital camera の出現により、それと区別してわざわざ film
　camera と呼ぶことがある。

「従来型」を表す新しいことば

retronym の例としては、day baseball や acoustic guitar、snow ski などがある。野球の試合といえば日中に行われるもの、ギターといえばアコースティック（＊電気アンプによって音を増幅していない）、スキーは雪の上を滑走するものが普通だったのだが、night baseball（＊「ナイター」は和製英語）や electric guitar や water ski が優勢になってしまったので、さかのぼってもともとのコンセプトを表す語が必要になって生まれた表現である。

fine 形 すばらしい、元気な、細かい

fine and dandy 《口》すばらしい、極上の

口語で「まことに結構な」ということだが、反語的にも使われる。

• Management theory is all fine and dandy, but there's no substitute for the solid execution of tried-and-true procedures.
（経営管理論はそれなりに役立つにしても、立証済みの手順を手堅く遂行することに代わるものはない）

Fine feathers make **fine** birds. 《ことわざ》美しい羽が美しい鳥をつくる。

「羽がすてきだと、鳥はすてきに見える」ということ。Fine clothes make the man.（いい着物を着ると立派に見える）などとも言う。日本のことわざの「馬子にも衣装」にも通じる。

fine print 細かい［小さい］活字

特に「契約書などの細字で印刷された部分」を意味する。賃貸契約書、保険証券、金融機関との契約書などには、契約者に不利とされる条件や制限などが、しばしば本文より小さい活字で印刷されていると

ころからきている。

•Go over the fine print before signing a contract.（契約書にサインする前に細字部分を検分せよ）

FIRE 財政［経済］的な自立による早期退職

FIRE は financial independence, retire early（財政的に自立して、早期に退職する）の頭字語。

　若いうちから資産形成を進めて「経済的自立」と「早期退職」をめざす人生戦略のこと。アメリカのミレニアル世代を中心に支持を集め、日本でも注目を集めつつある。

fire 名 火、火災 動 発砲する、クビにする

get fired 《口》クビになる

「クビになる」という意味の動詞で最も一般的な口語の1つ。ほかにも「解雇する」という意味では、can、pink-slip、give the ax などが使われる。☞ slip（pink-slip）

set the world on fire 大成功を収める、有名になる

「世界を火事にする」から「世間をあっと言わせる（ようなことをする）」の意。「大成功を収める」「目覚ましいことをする」といった広い意味で用いる。

•I was fresh out of college and eager to set the world on fire with my technical skills.（私は大学を出たばかりで、自分の専門技術を生かして大成功するのだと張りきっていた）

fish 名 魚

limp fish ぐったりした魚（のように力が入っていないこと）

limp は「ぐったりした」「軟らかい」の意味。limp-fish［wet-fish, dead-fish］handshake と言えば、弱々しく力の入っていない握手の

こと。手ではなく、ぐったりしたあるいは死んだ魚を握るような、気持ちの悪い握手を指す。

•The firmness of your handshake is a crucial part of making a good first impression. If you offer someone a limp-fish handshake, it suggests passivity.（固い握手は、よい第一印象を与えるのに不可欠な要素である。握手の時に相手の手を弱々しく握れば、消極的であることをそれとなく示しているのだ）

fist 图 こぶし

fist bump　こぶしとこぶしを合わせるあいさつ

コロナ禍で始まった握手やキスの代わりのあいさつの1つ。elbow-bumping は「ひじとひじを突きあわせるあいさつ」のこと。

flat 形 平たい、平らな

flat tire　パンクしたタイヤ

「ぺちゃんこのタイヤ」から「パンクしたタイヤ」のこと。「パンク」は puncture の略として日本語に入ったもので、「パンクする」はイギリスでは have a puncture と言うが、アメリカでは have a flat tire が一般的である。

flip 動 (薄いものを)ひっくり返す、パタパタさせる

flip-flops　图 ゴム草履、ビーチサンダル

「パタパタ」といった擬音語から。

flip side　(よい面に対する)裏の面、もう1つの面

1949年ごろから使われるようになった表現。DJ がレコードを裏返して B 面をかけたところから生まれた。似たような意味で、1980年代の buzzword の1つに downside がある。こちらは「マイナス面」ということ。

flow 動 流れる、あふれる 名 流れ

go with the flow　流れに身を任せる、波風を立てない

「流れに逆らわない」ということからきた表現。反対の意味の表現に go against the flow がある。

• Tim, you have to learn to relax and go with the flow when you can't control events. (ティム、自分が物事をコントロールできない時は、気を楽にして流れに乗ることを学ぶ必要がある)

folk 名 (複数で) 人々 形 民間の

Different strokes for different folks.　《ことわざ》十人十色。

「人それぞれ」の意味。So many men, so many minds. とも言う。

folk etymology　民間語源 (説)、通俗語源 (説)

言語学的な根拠がないこじつけられた語源説のこと。多くは似た発音の語と結びつけたもの。

さまざまな俗説

民間語源の例としては、asparagus が sparrow grass から、tulip は two lips から、history は his story に由来するといった俗説が有名である。

　ちなみに tulip は turban と同じ語源で、history という語はギリシャ語の historia が語源であり、his という意味合いはない。しかし「女性の役割を強調し、あるいは女性の視点から語られた歴史」(history emphasizing the role of women or told from a woman's point of view) という意味の herstory という造語まである (*The Oxford Dictionary of New Words* より)。

　また、「ぐっすり」の語源は good sleep だとか、『万葉集』はもともとは英語といった俗説もある。つまり Manyoshu を

Many-o-shu と分解すると、o は ode で頌歌(しょうか)、shu は show のことで、「多くの詩を集めたもの」となる。

fond 形 大好きだ、優しい

Absence makes the heart grow fonder. 《ことわざ》いなければいとおしく思えてくるもの。離れていると恋しい思いが募るものだ。

反対の意味のことわざに、Out of sight, out of mind. がある。「目に見えないものは忘れられる」「去る者日々に疎(うと)し」ということ。

food 名 食べ物

food bank　フードバンク

品質に問題はないものの何らかの理由で商品価値がなくなった食品を企業から無償で譲り受けて、金銭的な理由で満足に食べられない人たちに配給する活動を行う組織のこと。

food chain　食物連鎖

食物連鎖とは、生態系の中で食べられる生物と食べる生物のつながりのこと。プラスチックには化学物質が含まれるので、プラスチックごみで海が汚染されると、それを食べた海洋生物が次々に化学物質に汚染されることになる。食物連鎖の終端にいる（at the end of a food chain）人間も、有害物質が体内に蓄積する可能性がある。

food truck　フードトラック、食品の移動販売車

日本では「キッチンカー」とも呼ばれるもので、食品の調理設備や販売設備を備える、バンやトレーラーなどの総称。一般に食品の移動販売、ケータリングに用いられる。サンドイッチやハンバーガー、フライドポテトなどのファストフードが人気。

foodie　名《口》食通、料理好き、グルメ

food に「…と関係のある人」の意の接尾辞の -ie をつけたもの。

groupie は「有名人の追っかけ」、junkie は「何かに取りつかれた［熱中している］者」の意。

give someone **food** for thought　（人）に思考の糧[かて]［考える価値のあること、考えさせられること]を与える

これは古典的な隠喩[いんゆ]（metaphor）で、食べ物は人間の体にとって重要なものであり、何かものを食べている時に人の頭脳はいちばんよく機能する、という考え方から発展したようである。give someone a lot to think about と言い換えることもできる。

• This magazine article about corporate kindness gave me a lot of food for thought.（企業が示す優しさに関するこの雑誌記事には考えさせられた）

locally sourced **food**　地元産の食品

「地元産食材愛好家」のことは locavore と言う。これは、local と「…食動物」を意味する接尾辞の -vore の合成語。自家栽培の食材や farmers' market（産地直売所）で売られる野菜、地元で調達した食材などを好んで食する人たちを指す。

plant-based **food**　植物由来の食品、植物性食品

動物由来の原材料を一切使わず、植物素材を原材料として、動物性食品の風味や食感を再現した食品のこと。たとえば vegan cheese は、大豆、米、アーモンド、酒粕、寒天などを使った植物性チーズである。キャベツとパイナップルを原料とした plant-based milk もある。

fool　名 ばか　動 （人を）だます

fool oneself　自分をごまかす、思い違いをする

Let's not fool ourselves. は、「事実を直視し、自らを欺[あざむ]くことのないように」ということ。

• Aren't we fooling ourselves when we say a robot couldn't do it any better?（ロボットはそういうことをあまりうまくできないと言って

いる時に、私たちは思い違いをしていないだろうか）

foot 名足

athlete's **foot**　名水虫

直訳すれば「運動選手の足」だが、「水虫」「足白癬_{あしはくせん}」のこと。ジムやロッカールーム、プールなど素足で歩く場所から水虫の菌をもらいやすいところからの連想だろうが、*The Facts on File Encyclopedia of Word and Phrase Origins* によると、もともとは1928年に Absorbine Jr. という水虫の特効薬の宣伝のためにコピーライターが考え出した婉曲的な造語とのことである。

foot traffic　人の流れ、（店の）客足、顧客数

traffic は「交通量」のことだが、foot traffic あるいは pedestrian traffic で「（ある地域における）歩行者の流れ」「（レストランや美容院などの）客足」を意味する。

•The coastal city's efforts to beautify the downtown area had a positive impact, attracting more foot traffic and revitalizing the local economy.（沿岸の都市がダウンタウンの美化に努めた結果、人の往来が増え、地域経済が活性化した）

get back on one's **feet**　病気あるいは経済的な問題などから立ち直る

•Getting laid off was tough, but with his supportive friends and family, Danny managed to get back on his feet and find a new opportunity.（解雇されたことはつらかったが、ダニーは友人や家族に支えられ、何とか立ち直り、新しいチャンスを見つけることができた）

get itchy **feet**　足がむずむずする

itchy feet は「かゆい足」だが、get itchy feet はイディオムで、「足がむずむずしてどこかへ行きたくなる」「（職場を替えたくて）うずうずしている」ということ。

•Dave has never worked for the same company for more than

three years. He always gets itchy feet after a while.（デーブは同じ会社で3年以上働いたことがない。彼はいつも、しばらくすると職場を替えたくなる）

start the day on the right **foot**　その日の好スタートを切る

文字どおりには「右足から1日を始める」ということ。これは、ベッドに入るのは右側から、ベッドから起きてその日を始める時も右側からがいいとされる迷信に由来している。get up on the wrong side of the bed（機嫌が悪い）もこの迷信に由来するイディオム。☞ bed（get up on the wrong side of the bed）

think on one's **feet**　即座に決断する、すばやく考える

「自分の足で立って考える」から「即座に決断する」という意味。be quick on one's feet は「動作がすばやい」「歩く［走る］のが速い」ということ。

• After the earthquake, the crisis team had to think on their feet to come up with quick and effective solutions to emerging problems.（震災後、危機管理チームは、新たな問題に対して迅速かつ効果的な解決策を打ち出すために、即座に決断しなければならなかった）

fork　图 フォーク、分岐　動 フォーク（状のもの）で刺す

fork over　（お金）をしぶしぶ払う

• Today's college students will have to fork over about $30,000 annually for books, tuition fees, housing and other living expenses.（今日の大学生は年間3万ドルほどを、書籍代や授業料、住居費などの生活費に支払わなくてはならない）

form　图形、形式

in one **form** or another　何らかの形で、どういう形であれ

form の代わりに fashion、way、capacity などの語を使うことも可

能で、in one fashion [way] or another は「何らかのやり方[方法]
で」、in one capacity or another は「何らかの立場[資格]で」とい
った意味になる。また、at one point [time] or another は「(正確な
日付は覚えていないが)いつだったか」、for one reason or another
は「どういうわけか、いろいろな理由で」ということ。

four (基数詞の)4、4つ

four-letter word　4文字語、卑わいなことば、汚いことば、禁句

英語では、排泄や性などに関係がある短い「卑わいなことば」「汚い
ことば」の多くが4文字語であるため、そうしたことばを four-letter
word と呼ぶ。cunt や fuck、piss、shit、cock などがその代表的なも
の。書いたりしゃべったりすることを憚る場合には f-word、f—k、
s—t などとする。

　　To me, mathematics is a four-letter word. などと、ユーモラス
に使うこともある。これは、mathematics は4文字語ではないが、「数
学は私にとっては禁句」「mathematics が何文字なのかもよく数え
られない」ということで、わざと矛盾した言い方で「苦手」を強調し
たもの。

　　Love is Just a Four-Letter Word は、ボブ・ディランが作詞作曲し、ジ
ョーン・バエズが1968年に発表した楽曲。バエズのコンサートの定
番曲として知られる。

free 形 自由な、制限のない

free of ...　…のない

Delivery is free of charge. と言えば、「配達料は無料」ということ。
free of debt は「無借金の」、free of disease は「病気にかかってい
ない」、free of genetically modified ingredients は「遺伝子を組み
換えた原材料を使っていない」という意味である。

free-range 形 放し飼いの

まるでヘリコプターが常に子供たちの上をホバリングしているような、過保護な育児のことを helicopter parenting と呼ぶが、その対極にあるのが free-range parenting（放任型育児）である。鶏などの「放し飼い」から連想されるような、ある程度自由にさせる育て方。

fuck

代表的な four-letter word（4文字語、汚いことば）で、動詞としては「…と性交する」「…にひどい扱いをする」といった意味がある。現在では多くの辞書がこの語を見出し語として収録している。普通に英語の中で使われているのであれば、卑語やタブー語も辞書に掲載しようという流れの中での変化である。

　日本語でも、女性器や性行為を表す俗語、隠語として「お〇〇こ」などとも表記される語が、2008年に発行された『広辞苑 第六版』に収録され大きな衝撃を与えた。それ以前の版には、「おちんちん」「ちんこ」「ちんぽ」はすでに入っていたのだが、2018年に発行された『広辞苑 第七版』では「おまんこ」を見出し語として採用し、「（オは接頭辞）女性器、また性交をいう俗語」と語義も説明している。

full 副 十分に 形 いっぱいの

full-fledged 形 一人前の、本格的な、れっきとした

fledged はひな鳥について、「羽毛が生えそろった」「飛ぶことができる」「巣立ちができる」という意味が原義である。それに full-（十分に）をつけてよく用いられる。イギリス英語では fully fledged [fully-fledged] とも言う。

• Susan is now a full-fledged professor after securing her tenure at the university.（スーザンは大学での終身在職権を得て、今ではひとかどの教授だ）

fuse 　名 導火線、(電気の)ヒューズ

blow a fuse 　かんしゃくを起こす、かんかんになって怒る

この fuse は「導火線」ではなく、電気の「ヒューズ」のこと。「ヒューズを飛ばす」というところから、「すぐに感情を爆発させる」という意味になる。

• We are all apt to blow a fuse if we don't take time out from the hectic pace of city life. (都会生活の目まぐるしいペースから逃れる時間を作らないと、私たちは皆かんしゃくを起こしやすくなる)

have a short fuse 　怒りっぽい

人を形容して「怒りっぽい」「短気な」という意味で使う。「すぐに感情が爆発しやすい」ということ。「怒りっぽい人」のことは hothead と呼ぶ。

gain 　動 得る、増やす

gain a new lease on life 　活気を取り戻す

new lease は「新しい賃貸借契約」「賃貸借契約の更新」のこと。そこから gain a new lease of life は、「心機一転する」とか「苦境を乗り越えて新たな活力を得る」「息を吹き返す」「生まれ変わる」を意味する。give something [someone] a new lease on life といった言い方もでき、Urban renewal has given our city a new lease on life. (都市再開発は私たちの市に新たな活力をもたらした) のように使う。

game 　名 ゲーム、試合

ball game 　球技、《米》野球、状況　☞ ball

game-changer 　名 (試合、世の中などの)流れを大きく変えるもの

もとの意味は、「試合の流れを一気に変えてしまう選手[もの]」。そこから、「状況[形勢]を一変させるようなもの」「現状に大きな影響

を与える革新的な要素」といった意味で使われるようになった。

• The invention of the internet was a true game changer that transformed the way we work and connect with others.

(インターネットの発明は本当のゲームチェンジャーであり、私たちの仕事の仕方やほかの人々とのつながり方を変えた)

• Generative artificial intelligence was a game-changer in a wide range of industries.

(生成 AI は、さまざまな業界の常識を変えた)

game plan　作戦、計略、計画

Merriam-Webster.com Dictionary は、game plan を a strategy for achieving an objective（目的達成のための戦略）と定義している。

• Having a well-thought-out game plan is important to adapt to unexpected twists and turns.

(よく考え抜かれた戦略を持つことは、予期せぬ紆余曲折に適応するために重要である)

gang　名（仲間の）一団

集合的に「(同じ職場で働く従業員などの) 一団」のこと。同僚に対する呼びかけのことばとしても使われる。同じく集合的に、「(犯罪その他の反社会的な目的で結びついた) ギャング[暴力団]」も意味し、その1人を指す場合は gangster となる。

• OK, gang, enough socializing. Let's get down to brass tacks.

(さあ、皆さん、おしゃべりはこのくらいにして、本題に入ろう)

gear　名（自動車の）ギア

shift gears　ギアを変える、問題の扱い方を変える

「ギアを変える」表現はほかにもある。shift into high gear は、もともとは自動車用語で「ギアをトップ[高速]に入れる」こと。そこから、

エンジンがフル回転するように「本格化する」「軌道に乗る」の意味
となった。

　反対に、shift into reverse gear は、「後退ギアに入れる」というと
ころから、「バックする」「進路を変更する」を意味する。

• The move to a new town made Sean shift gears and slow
down.（新しい町に移ったことは、ショーンにとっては物事への接し方を
変え、ゆったりとした生活をするきっかけになった）

geek 　名 変人、奇人、オタク

現代のアメリカの口語では computer geek、science geek、movie
geek などと、専門知識や情熱を持ち、何かに没頭、熱中する人を指
す。軽蔑的な意味で使われるとは限らず、特に技術者に対して言う
場合は、羨望のニュアンスを含むことが多い。

　ちなみに otaku は日本語から英語になった語の1つ。特にアニメ
やマンガ、ビデオゲームやコンピュータなどに関連して geek と似
たような意味で使われる。

• The international conference drew a diverse crowd, from top
executives to hardcore geeks.

（その国際会議は、最高クラスの管理職から筋金入りのギークまで多様な
人々を惹きつけた）

give 　動 与える
give a thumbs-down 　拒絶する

「不満足」「不同意」を意味する、親指を下にして相手に向けるジェス
チャーから同様に turn thumbs down は「拒絶する」「反対する」、
It's thumbs down. は「それはだめだ」「それには反対だ」などの拒
否や不満の意味。その反対は、It's thumbs up.（賛成だ）である。

• Many teachers are giving the thumbs-up to e-dictionaries.（多

くの教師が電子辞書の使用に賛成している）

give away　（ただで）与える、…を配布する

giveaway と一語にすると名詞で「（客集めのための）無料サンプル」「試供品」のこと。

give it one's all　全力を尽くす、全力投球する

• Melissa impressed everyone with her presentation. She really gave it her all.

（メリッサは、プレゼンテーションでみんなを感動させた。彼女は本当に全力を尽くした）

GOAT　史上最高（greatest of all time の略）

1990年代から主にスポーツ選手やミュージシャンに対して使われてきたようだが、最近はインターネットスラングとして、Shohei Ohtani is the GOAT. などと書かれたものを目にすることがある。人以外にも物や企業・チームなどについても用いられる。

　goat は「ヤギ」なので、ネット上などではヤギのイラストと一緒に表現されることもある。

gold　名形 金（の）、黄金（の）

貴重なもの、高価なものの象徴としてしばしば使われる。

All that glitters is not **gold**.　《ことわざ》輝くもの必ずしも金ならず。

シェークスピア作の『ベニスの商人』（*The Merchant of Venice*）の中に出てくる台詞。人や物を見かけで判断してはいけないという意味。

gold standard　最高水準のもの

もともとは「金本位制」のことだが、「他の模範となる水準」「最高水準のもの」という意味でも使われる。

• XYZ Company is the gold standard when it comes to graphic design.（グラフィックデザインとなると、XYZ 社は最高水準である）

gold watch　（退職祝いの）金時計

Longman Dictionary of English Language and Culture には、a watch made of gold, or coloured like gold, often given as a mark of respect to people who have worked for a company for a long time and have come to the end of their working life. という説明がある。永年勤続者が退職時に贈られる「褒賞」としての「金時計」のこと。

worth one's weight in **gold**　《口》とても貴重な

「（人や物について）その目方に相当する金ほどの価値がある」というところから、口語で「とても貴重な」「価値がある」という意味。

• Sean is a terrific rainmaker. He's worth his weight in gold.
（ショーンは素晴らしいやり手だ。非常に価値のある人材だ）（＊ rainmaker とはアメリカ先住民の魔術などで「雨を降らそうとする人」を意味するが、現代のビジネス英語としては、上手に新規事業を開拓する人や上得意客を持つ営業パーソン、有能な弁護士、金融のプロなどを指す）

good 　形 よい

A change is as **good** as a rest.　気分転換は休息と同じくらいよいものだ。

イギリスの古いことわざから。change はちょっとした気分転換から転職までを意味するかもしれない。いずれにしても「休息と同じくらいよいもの」ということ。

deliver the **goods**　《口》期待に添う、約束を実行する

名詞複数形の goods は「商品」の意味。文字どおりには「品物を届ける」「配達する」だが、イディオムで「約束を果たす」「期待［要求］に添う」「やってのける」ということ。deliver だけでも同様な意味で使い、Mel is full of ambitious ideas, but can he deliver on those promises?（メルは野心的なアイデアでいっぱいだが、その約束を果たせ

るのだろうか)のように言う。

do-good 形 善意あふれる、偽善的な

「善意あふれる」という意味の口語の形容詞だが、「偽善的な」「慈善家ぶった」といった皮肉の意味もある。同様に、do good は「善行をする」「親切な行いをする」だが、「純情で理想主義的なことをする」という意味合いで使うこともある。そうした人のことは do-gooder と呼ぶ。

for good (これを最後に)永久に、完全に

•In Japan, some major national bookstore chains, as well as small local booksellers, are closing their doors for good.

(日本では、地方の小さな書店ばかりでなく、大きな全国チェーンの書店でも廃業しているところがある)

good corporate citizenship よき企業市民であること

地域社会の向上・発展のための、企業による寄付やボランティア活動などの総称。企業本来の事業活動とは異なるものだが、企業の社会的責任(corporate social responsibility, CSR)を果たす手段として注目される。

So far, so good. 今のところは順調です。☞ so

grab 動 つかむ、捕らえる 名 つかむこと

be up for grabs 《口》だれでも手に入れられる[チャンスがある]、容易に手に入る

grab は名詞で「奪うこと」「つかむこと」で、ここでの be up for は「…の対象になる」「…の可能性がある」という意味。grabs と複数形で使う。

gray 名形 灰色(の)、白髪(の) 動 灰色にする[なる]、高齢化する

gray は「高齢者」を象徴する色。動詞の gray は、人が主語の場合

「白髪になる」「年を取る」だが、社会などが主語となる場合には「高齢化する」ことなどを意味する。graying を用いた graying population は「高齢者人口」、graying hair は「白くなりかけた髪」のこと。

　silver も高齢者の色で、2020年に *Merriam-Webster.com Dictionary* が追加した silver fox という語は an attractive middle-aged man having mostly gray or white hair（全体的に灰色あるいは白髪になってきた魅力的な中年男性）のこと。和製英語の「ロマンスグレー」がそれに近いかもしれない。

• The needs of the graying society mean a surge in opportunities for businesses catering to senior citizens, such as specialized travel services, leisure activities, and high-tech products designed for ease of use.（高齢化社会のニーズは、専門的な旅行サービス、レジャー活動、使いやすさを追求したハイテク製品など、高齢者向けのビジネスチャンスの急増を意味する）

gray-haired　形 白髪の

get gray hair は「白髪になる」ということだが、病気やショック、体調の急激な変化により白髪が増えることもあるので、口語では「心配する」というイディオムとしても使われる。

gray matter　灰白質、頭脳、知性

gray cells とも呼ぶ。解剖学では、灰白質という脳や脊髄に見られる神経組織の中で神経細胞が多く集まる部分（＊赤みがかった灰色をしていると言われる）を意味する。そこから口語で「知力」「頭脳」の意味で使われる。

• Engaging in cognitive activities, such as puzzles and learning a new foreign language, has been shown to promote the health of gray matter.
（パズルや新しい外国語の学習など、認知的な活動に関わることは、脳の健康を促進することが明らかになっている）

guru 图 指導者、第一人者

ヒンドゥー教やシーク教では「導師」を意味するが、一般に「精神的指導者」や「第一人者」のこと。口語では、おどけて「(ある分野における)権威のある人[ベテラン]」の意味で、tech guru、social media guru、gardening guru、fitness guru、marketing guru、fashion guru などと使うこともある。

• In the world of finance, Richards was hailed as a guru for his uncanny ability to predict market trends. (金融の世界では、リチャーズは市場動向を予測する非凡な能力によって、グルと称された)

hair 图 髪の毛、ごく微量

bad **hair** day いらいらする日、悪い日

「髪の毛がうまくまとまらない日」から。

• I'm having a real bad hair day. Everything has gone wrong. (きょうはとても悪い日だ。すべてがうまくいかない)

split **hairs** 細かいことにこだわる、重箱の隅をつつく

「1本の髪の毛を割く」というところからの連想で、「(議論などで)詳細なことにこだわる」こと。hair-splitting は「小事にこだわる」「重箱の隅をつつくような」という意味の形容詞。

• Robin is the self-appointed language police who splits hairs when it comes to grammar. (ロビンは、文法に関することとなると細かいことにこだわる言語警察気取りだ)(＊language police とはことばの用法などに目を光らせ、誤用法などについて他人を注意する人のこと)

stay out of someone's **hair** …の邪魔をしないでいる

「…の邪魔をする」は get in [into] someone's hair である。

• Will you make sure the kids stay out of my hair while I engage in a video conference? (私がビデオ会議をしている間、子供たちが私の

邪魔をしないようにしてくれますか）

half 名半分

better half 《口》配偶者、つれあい

日本語の「ベターハーフ」は『広辞苑』に「（「自分より良い半身」の意）妻。愛妻」とあるが、英語では通例 one's better half と使い、妻（wife）、夫（husband）、配偶者（spouse）のちょっとおどけた言い方。

half the battle 勝ったも同然、いちばん肝心な部分は終わったようなもの

18世紀のことわざの The first blow is half the battle.（最初の一撃で勝利は半ば決まる、先んずれば人を制す）からきた表現とされる。

　　Half the battle is just showing up.（戦いの半分はただ姿を現すこと）と言ったのはイギリスの理論物理学者のスティーブン・ホーキングとも、アメリカの映画監督で俳優、小説家のウディ・アレンとも言われるが、たとえ十分な準備や自信がなくても、そもそもその場に現れなければ何事も始まらない、ということ。行動を起こすことを促している。

hand 名手

hands-off 形 無干渉（主義）の

Hands off（something or someone）！ と言えば、「（…に）手を触れるな、干渉するな」ということ。

　　対義語は hands-on（現場主義の）である。

hands-on 形 実地の、現場主義の、直接参加する

一般的なビジネス用語として「腕まくりして手を汚し、現場で実際に仕事に取り組む」「ことばだけでなく、実際に行動に移す」といった意味で広く使われる。*New Words: A Dictionary of Neologisms since 1960* には次のような説明がある。personal practical involvement in a job; the implication is of sleeves rolled high and hands covered in oil (仕事への個人的かつ実践的な関与。暗示しているのは、袖をまくり上げ、手が油で覆われている状況)

　　対義語は hands-off (無干渉 (主義) の) である。

•Nowadays an increasing number of dads want to be more hands-on in raising their kids. (近ごろでは、もっと子育てに参加したいと望む父親が増えている)

know something like the back [palm] of one's **hand**
…を知り尽くしている、…に精通している

　　back は「手の甲」のこと。palm は「手のひら」のこと。それくらい「何から何まで」「一から十まで」知っている、ということである。同じような意味で know something inside (and) out とも言う。「裏も表も [隅から隅まで] 知っている」ということ。

hang 　[動] つり下げる、掛ける、ぶら下がる

hang (out) with　…とつきあう、…と親しくする

Hang with people smarter than you. (自分より頭のいい人とつき合いなさい) は、人生における最高のアドバイスとも言われる。名詞の hangout は「隠れ家」「たまり場」のこと。

hang up　電話を切る

「電話を切る」を意味する句動詞。壁掛け式電話が一般的だった時代に、受話器を「掛けて」電話を切ったことの名残りで「受話器を置く」(to put a telephone receiver down) 行為が hang up と表現される。

　　名詞の hang-up は、「頭痛の種」「厄介な問題」の意。

hard 　[形] かたい、難しい

Hard to say.　《口》何とも言えない。よくわからない。

It's hard to say. ということで、答えに窮した時などに使う。

•Hard to say whether the housing project will be completed on time. There are so many variables at play, including higher labor costs.（この住宅プロジェクトが予定どおりに完了するかどうかは言いがたい。人件費の高騰を含め、非常に多くの変動要因があるからだ）

play hardball　強引［強硬、攻撃的］に振る舞う　☞ ball

haul 图 輸送距離、輸送ルート

long-**haul**er　图 長距離トラックの運転手、新型コロナ後遺症の人

通常は「長距離トラックの運転手」のことを意味する。特に、新型コロナウイルスによるパンデミック以降は「コロナの後遺症に長く苦しむ人」の意味にも使う。Covid long-hauler とも呼ぶ。☞ long（long Covid）

over the long **haul**　長期にわたって

haul のもともとの意味、「輸送距離」「輸送ルート」から転じて、「長期間では」「長い目で見れば」「結局は」という意味で使う。in ［over］the long run ともいう。

have 動 持つ、ある

have a lot (of stuff) on one's plate　やるべきことがたくさんある

文字どおりの意味は「皿の上に食べるものがたくさんある」。似たような表現に have many irons in the fire があり、「同時にいろいろなことに手を出している」「やりかけのことがたくさんある」という意味。語源は諸説あるが、鍛冶屋で炉に多くの鉄の棒を入れる様子からとする説が有力のようだ。また spread oneself (too) thin は「一度に多くのことをやりすぎる」「手を広げすぎる」ということ。

• I would love to help out with the new community project, but I already have a lot of stuff on my plate at the moment.（新しいコミュニティ・プロジェクトに協力したいのはやまやまなのだけれど、今はすでに多くの仕事を抱えている）

have had it up to here with　《口》…にはもううんざりしている

こう言いながら、「ここまで」と言うように喉（のど）に手をやるジェスチャーをして、「辟易（へきえき）している」ことを表す。

・I've had it up to here with lame excuses. (へたな言い訳にはもううんざりだ)

have hard feelings　恨みを持つ、わだかまりを持つ

複数形の hard feelings は「悪感情」の意味で、No hard feelings. と言えば「悪く思わないでください」「悪気があったわけではないので」ということ。

head　名 頭、トップ

head honcho　《口》ボス、リーダー、トップ

honcho は日本語の「班長」から英語になったアメリカ俗語だが、poncho（ポンチョ、南米住民の一種の外套）と語感が似ているところから、スペイン語が語源と思っているアメリカ人も多いようだ。戦後、日本に進駐した米軍の兵士たちの間から広まったと考えられていて、「(組織の)トップ」「大物」「やり手」という意味で使う。

hide one's **head** in the sand (like an ostrich)　(ダチョウのように)砂の中に頭を隠す

「厳しい現実に目をつぶる」「現実を直視しようとしない」「知らぬふりをする」といった意味。ダチョウ (ostrich) は危険を感じると、頭を砂に突っ込んで自分が敵から見えなくなったつもりになるという俗説から。

keep one's **head** above water　生き延びる、何とかやりくりする

「(溺（おぼ）れないように) 首を水の上に出している」というところから。

hear　動 聞こえる、耳に入る

hear through the grapevine　風のうわさ［人づて］に聞く

前置詞は through 以外に over や on も使い、うわさや口コミで知

ることを意味する。アメリカの南北戦争（Civil War）時代、grapevine telegraph ということばが「信頼性のない情報」の意味で使われたのが始まりと言われている。

• I just heard through the grapevine that our chairman is re-marrying a woman half his age.（わが社の会長が、自分より歳が半分も下の女性と再婚するというのをうわさで聞いた）

小鳥から聞いたうわさ

似たような表現に A little bird told me ... がある。はっきりと名前を言わずに、「ある人から聞いた」という意味で使う。そこでこんなジョークがある。

　　Diner: Waiter, this soup is spoiled.

　　Waiter: Who told you, sir?

　　Diner: A little swallow.

レストランのお客がウェイターに向かって「このスープは悪くなっている」と言った。ウェイターは「だれがそう言ったのですか」と尋ねる。お客が答えていわく、「小さなツバメさ」。

　　swallow には「ツバメ」と「飲みこむ」という二重の意味があるので、「一口飲んでみたらわかった」ということだが、ツバメも little bird なのでこのお客はかけことばでしゃれたということである。

I hear you.　おっしゃることはわかります。

相手の言っていることに賛成も反対もせず、「聞き置きました」という中立のニュアンスをもつ、よく使われるフレーズ。日本語の「はい」に似ていると言われる。Did I hear you right? は「私の聞き違いでしょうか」ということ。

hell 　名 地獄

from hell　地獄からやってきた

「恐ろしい」「不快な」「最悪の」といった意味のフレーズ。同僚がクライアントにスカウトされてお客側に回り、こちらの手の内をすべて知っている、扱いにくい「最悪の顧客」になった場合は、a customer from hell と人についても使える。the wildfire from hell は「大惨事となった山火事」、the summer from hell は「史上最悪の夏」、the dinner from hell は「ひどくまずかった夕食」などと使う。

　Drive like hell ... and you'll get there. は「無謀運転をすれば…そこに到着することになる」という意味。drive like hell は「車を猛烈に飛ばす」ということだが、そうすれば死亡事故を起こして「地獄」に行くことになる、という警句。

raise hell　《口》大騒ぎする、大騒動を起こす

1966年にシカゴで8人の女性を殺害した Richard Speck という男が捕まった。逮捕のきっかけは、未遂に終わった別の事件を生き延びた女性が覚えていた、男の左腕にあった Born to raise hell（大騒動を起こすために生まれてきた）という入れ墨。この事件は当時、日本の新聞にも大きく報道されたが、この文句の訳は各紙まちまちだった。「生まれながらの乱暴者」や「ご意見無用」というのもあった。

help 　動 助ける、手伝う

How may I help you?　何かお手伝いできますか。いらっしゃいませ。
☞ how

high 　形 高い　副 高く

high-end　形《米》高級な、高性能の

口語で「最高級の」「高級品志向の裕福な消費者を対象とする」とい

った意味。同意語に upscale がある。

high profile　<small>注目を集めていること、注目度の高いこと</small>

形容詞の high-profile は「(世間の)注目度の高い」「話題の」といった意味。反対は low profile で、keep a low profile と言えば「目立たないようにする」ということになる。☞ low(low profile)

• There's been a spate of high-profile public apologies recently. They've involved defective parts, leaked emails, mishandling of consumer complaints, product contamination, slipups in quality control, you name it. (最近、有名企業の公式謝罪が相次いでいる。それには、欠陥部品、メール文書の漏えい、消費者からの苦情処理の不手際、製品の汚染、品質管理上の見落としなど、ありとあらゆるものが含まれている)

hive <small>图 ミツバチの巣箱、(1つの巣箱の)ミツバチの群れ</small>

Five, five, five / Bees in the **hive**

イギリスの古い数え歌から。この hive は「ミツバチの巣箱」のことで、beehive ともいう。

ハチの巣のようなファンたち

beehive と同じ発音の BeyHive はアメリカのシンガーソングライター、ダンサー、女優 のビヨンセ(Beyoncé、愛称は Queen Bey)の 熱烈 なファンのグループの 呼び名。また、K-Hive はアメリカの副大統領カマラ・ハリス(Kamala Harris)をオンラインでサポートする支援者グループの名前である。

hold ⬛動 持っている、保つ

hold one's breath 《口》期待する

レントゲン写真を撮る時のように「息を止める」という場合にも使うが、イディオムとしては「期待する」「息をひそめる」「固唾をのむ」ということ。Don't hold your breath. は「期待しても無駄だ」という意味。

• The train is supposed to arrive in 10 minutes, but don't hold your breath. It's always running late.（あと10分で列車が到着するはずだが、期待しないでください。いつも遅れるんだ）

Hold your horses. 《口》あわてるな。落ち着け。ちょっと待って。

「馬を抑えよ」ということだが、イディオムで「はやる気持ちを抑えるように」という意味を表す。馬をとめる時の「どうどう」というかけ声は、whoa あるいは woah と表記する。

• Hold your horses. I think reports of the demise of the old-style bookstore are greatly exaggerated.

（ちょっと待って。昔ながらの書店は終わりだと報じられているが、それはあまりに言いすぎだと思う）

home ⬛名 家、家庭 ⬛副 家に

bring **home** the bacon 《米》《口》生活費を稼ぐ

「ベーコンを家に持って帰る」というところから、「生活費を稼ぐ」という意味のイディオム。

• There are now almost as many families in America headed by single moms as there are families where mom stays home and dad brings home the bacon.（現在アメリカでは、シングルマザーが世帯主の家庭の数と、母親が家にいて父親が生活費を稼いでいる家庭の数は、ほぼ同じだ）

Charity begins at **home**. 《ことわざ》愛はまず身内から。

「他人よりも家族や友人のほうが大事」という意味。寄付をしない時
の言い訳としても使う。似たようなことわざに、Blood is thicker
than water.「血は水よりも濃し」がある。

nothing to write **home** about　取り立てて言うほどではないこと

直訳すれば「手紙を書いて家に知らせるほどではないこと」だが、「取
り立てて言うほどのことではないこと」「つまらないこと」といった
意味で使う。That's something to write home about.（それは素晴
らしい）と肯定文で使うこともあるが、通常は否定文が多い。

•I tried the new Tex-Mex restaurant everyone's talking about,
but the food was nothing to write home about.（みんなが話題にし
ている新しいテックスメックス・レストランに行ってみたが、料理はたいし
たことがなかった）（＊Tex-Mex food とは一般的にはメキシコ風のアメリ
カ料理のことだが、テキサス州独自の料理でもある）

take **home** big bucks　《口》高額を稼ぐ ☞ buck

take-**home** pay　手取りの給料 ☞ pay

hook 　図釣り針

get someone off the **hook**　《口》（人）を窮地［苦境］から救う、（人）
を見逃す

釣り上げられた魚を、釣り針を外して逃がしてやる（remove a fish
from the hook）といった発想の表現。比喩的に「困った状況から（人）
を助ける」ことを意味する。

horn 　図角、（楽器の）ホルン

blow [toot] one's own **horn** [trumpet]　自画自賛する、大風呂
敷を広げる、自己宣伝をする、自慢話をする

この horn は「ホルン」「角笛」のこと。日本語で「大げさなでたらめ

を言う」「大きなことを言う」を意味する「法螺を吹く」も法螺貝を吹くところから出たもの。

take the bull by the **horns**   敢然と難局に立ち向かう

闘牛士が角をつかんで牛を押さえ込むところからの比喩で、「自ら先に立って危険に立ち向かう」ことのたとえと言われる。また、アメリカの西部で焼き印を押すためなどに、牛の角をつかみ、首をひねって倒す bulldogging というやり方に由来する、という説もある。

hour 名 時間

after **hours**   営業［勤務］時間後に、放課後に

形容詞の after-hours（営業［勤務］時間後の、放課後の）も用いられる。似た意味の表現に off hours がある。

• Wanda never checks her email during her off hours.（ワンダは勤務時間後には絶対にメールをチェックしない）

crazy **hours**   異常な時間

crazy は「まともでない」「異常な」「ばかげている」「途方もない」といった意味で、朝非常に早くか、夜非常に遅い時間を意味することが多い。反対は respectable［decent, civilized］hours となる。

• My friend Gina works crazy hours. She gets up around 4 a.m. and works till 9 p.m. — which is exactly the opposite of my waking hours.（私の友人、ジーナの働く時間は異常だ。彼女は朝4時ごろに起きて、夜9時まで働く。私の起きている時間と正反対だ）

office **hours**   勤務時間、営業時間

business hours や work hours とも言う。on company time は「勤務時間中に」で、「勤務時間外に」は on one's own time である。

• Office hours are 9 to 6, Monday through Friday. In the summer months, that's July through September, you can take alternate Fridays off by working an additional hour each day.

（勤務時間は月曜日から金曜日の9時から6時まで。7月から9月までの夏の期間は、毎日1時間長く働いて隔週金曜日に休みを取ることもできる）

waking **hours**　起きている時間

起きて何かをしている時間のこと。

• Published studies show that, on average, individuals spend around 60% of their waking hours engaged in various forms of communication. (公開されている調査によれば、人は起きている時間の平均約60%をさまざまなコミュニケーションに費やしているという)

into　前 …の中へ[に]、…に（なる）

be **into**　…に熱中している、…に夢中になっている、…にはまっている

• Dave's into philately and boasts he has hundreds of thousands of commemorative stamps from every country on the African continent. (デイブは切手収集にはまっていて、アフリカ大陸のすべての国の数十万枚の記念切手を持っていると自慢している)

jade　動 疲れさせる

もともとの「（馬など）をこき使う」という意味から、口語では一般的に「疲れさせる」「疲れや退屈を感じさせる」「倦怠感を抱かせる」という意味で用いる。be jaded by the constant power struggles は「絶え間なく続く権力闘争に疲れる」ということ。「翡翠（ひすい）」を意味する名詞の jade は発音、綴り共に同じだが、語源が異なる。

joke　動 ジョークを言う　名 冗談、ジョーク

joking aside　冗談はさておき

「冗談ではありません」ときっぱり言う場合には In all seriousness / Seriously / To be serious などと始める。It's no laughing matter. / I'm not joking. / I'm not kidding you. / I kid you not. などもよ

く使う。

• Joking aside, it's no secret that memory often declines as you get older. Forgetfulness can be a normal part of aging.（冗談はさ ておき、年をとるにつれて記憶力がしばしば低下するのは、秘密でも何でも ない。物忘れは、自然な老化現象の一面だと言える）

self-deprecating joke　自虐的ジョーク

> **高齢者の自虐的ジョーク**
>
> 「老後」の意味の golden years からできた golden ager（高 齢者）ということばがあるが、自分たちのことを自虐的に言 うなら golden ager よりも metallic ager のほうが適切では ないか、などと言う高齢者もいる。なぜなら、高齢になると gold in the tooth, silver in the hair and lead in the pants だから。gold in the tooth は「金歯」、silver in the hair は 「白髪」だが、have lead in one's pants は口語のイディオム で、「ズボンに鉛が入っている」というところから「腰が重い、 行動が遅い」という意味（lead の発音は /léd/）。

jump　動 ジャンプする、跳ぶ

jump ship　（他社に移るために急に）仕事を辞める、組織を離れる

もともとは「（船員が）契約期間を満たさずに［許可を得ずに］船を降 りる」という意味だったが、現在では「（無断で）急に持ち場を離れ る」「（特に競合企業に入るために、あるいは仕事上で問題が発生し て）会社を辞める」という意味の俗語として使われる。

jury　名 陪審（員団）

集合名詞で、陪審員によって構成された機関を指す。陪審から離れ

て、順位を決める大会などの審査員についても jury と言う。

The jury's still out on ...　…に関してはまだ結論は出ていない。…については何とも言えない。

陪審員団による評決が出た時には The jury has reached a verdict.（陪審員団が評決に至った）と言うが、まだ審議中である場合に The jury is (still) out. という表現を使う。ここから、一般に結論が出ない場合にも、この表現が使われている。

• Some argue that edible insects could solve world food shortages, but the jury is still out on their potential health consequences.（一部の人たちは、食べられる昆虫が世界的な食料不足を解消する可能性があると主張しているが、その潜在的な健康への影響についてはまだ結論が出ていない）

just 副 ちょうど、まさに、ほんの 形 正しい

just around the corner　間近に

「角を曲がったすぐのところに」ということから、「間近に」という意味のイディオムである。距離的に近いという意味と、Thanksgiving Day is just around the corner.（もうすぐ感謝祭だ）などのように時間的に近いという意味の両方に使う。

keep 動 保つ、…のままでいる

keep a stiff upper lip　何事にも平然としている ☞ lip

keep one's ear to the ground　周囲の動きにアンテナを張って（情報を得ようとして）いる ☞ ear

keep one's fingers crossed　願いごとの成就を祈っている

このジェスチャーは、片手または両手の中指を人さし指の上から十字にからませ、ほかの指は親指の下に重ねるもの。これは十字架（cross）を指でかたどったもので、魔よけ・幸運のまじないとされ、願

いごとの成就を祈る時などに使われる。

keep one's head above water　生き延びる、何とかやりくりする
☞ head

kick　動 蹴る

alive and **kicking**　《口》元気でぴんぴんして

How are you? に対する返事としても使うことがある。*The Facts on File Encyclopedia of Word and Phrase Origins* によれば、この表現は18世紀から使われていて、最初はロンドンの鮮魚店（fishmonger）が魚の新鮮さを表すために用いたそうである。kicking だけでも「元気な」「活発な」を意味する。alive and well とも言う。

kick back　《口》くつろぐ、リラックスする、のんびりする

Let's just kick back and enjoy the holidays.（のんびりと休暇を楽しもうではないか）などのように使われる。名詞の kickback には「リベート」「割戻金」の意もある。

kill　動 殺す、魅了する

be dressed to **kill**　《口》めかし込んでいる、ばっちり決めている

「悩殺するほど」という意味合いで、スタイリッシュで魅力的な、あるいは注目を集めるような服装をしている人を描写する表現である。このイディオムの正確な起源は明らかではないが、一説には、スパイ活動や秘密工作の世界で生まれたとも言われている。諜報員は、ハイソサエティーの集まりに溶け込むためにシャープな服装をすると同時に、必要とあれば暗殺の準備もできていたと言われているところから。

• Despite the blistering heat, Sara Smith with stunning black dress was dressed to kill. All eyes turned to her.

（猛暑にもかかわらず、見事な黒のドレスを着たサラ・スミスはばっちり決

めていた。誰もが彼女に注目した)

kilo 　图 キログラム、キロメートル

辞書には、「kilogram、kilometer などの短縮形」などとあるが、実際の用法としては、kilometer の短縮形として使うことはあまりなく、通常は kilogram の意で使う。I ran five kilos this morning. のような文は、英語のネイティブ・スピーカーには奇妙に響くようだ。キロ(メートル)の意味では K を使い、I ran 5K this morning. (今朝は5キロ走った)とする。

land 　图 土地

land of milk and honey　豊かな[よく肥えた]土地

乳と蜜のあふれる土地、豊かな暮らしができる土地、ということである。旧約聖書の『出エジプト記』(*Exodus*)に出てくることば。land flowing with milk and honey ともいう。

lane 　图 レーン、車線

fast **lane**　高速車線

Merriam-Webster.com Dictionary によると fast lane は高速道路などの「高速車線」「追越車線」(a traffic lane intended for vehicles traveling at higher speeds)のこと。そこから life in the fast lane は「ペースの速い生活」(a way of life marked by a fast pace)のこと。go [get] into the fast lane は「出世街道に入る」「エリートコースに乗る」という意味になる。

• After years of life in the fast lane, failing health taught Jack that even he had his limits.

(多忙な生活を数年続けて体をこわしたチャックは、自分にも限界があったことを知った)

last 形 最後の、最新の

last straw　（我慢・忍耐の）限度を超えさせるもの、耐えきれる最後の負荷

It is the last straw that breaks the camel's back. ということわざからで、これは「たとえわら1本のような軽いものでも、ぎりぎりの限界まで荷を積んだラクダに加えると、その背骨は折れてしまう」の意。That's the last straw. と言えば、「忍耐の限界だ」「今度ばかり［これ以上］は勘弁できない」といった意味になる。

• My former boss said responding to his emails "immediately" was part of the job requirements. That was the last straw and I decided to quit then and there.（前職の上司から、彼のメールに「即返信」するのは仕事の必要条件の一部だと言われた。それが我慢の限界だったので、すぐその場で辞める決断をした）

leaf 名 木の葉、（書物の）1ページ

take a **leaf** from someone's book　（人）のやることを手本にする［まねる］

turn over a new leaf は「心を入れ替える」「心機一転する」という意味。take a leaf も turn over a new leaf も、leaf は「木の葉」ではなく、「（書物の）1ページ」のこと。

• You should take a leaf from your sister's book and be more serious about studying English.（あなたは、お姉さんを見習って、もっと真剣に英語を勉強しなければいけない）

lean 形 スリムな、無駄のない

体型について言えば「スリムな」「ぜい肉のない」ということだが、「無駄のない」といった意味で使われることもある。lean and mean は「無駄なく経費を抑えた」という意味の成句で、1980年代のリスト

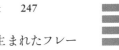

ラ (corporate restructuring [downsizing]) の時代に生まれたフレーズ。mean には「意地の悪い」「ケチな」という意味もあるので、lean and agile と言い換える企業もあった。agile は「身軽な」「活気のある」の意。

lean 　動 倒す、もたれる、曲げる

lean on　（…を）頼りにする、（…に）もたれる、（…に）寄りかかる

a shoulder to lean on は「悩みを打ち明ける相手」のこと。lean on someone (to do something) といえば、「(人) に (…するよう) 強要する、圧力をかける」という意味になる。

Look before you **lean**　倒す前に確かめよ。

lean と1字違いの leap を使ったことわざ Look before you leap. (跳ぶ前に見よ) に引っかけたしゃれ。このことわざは、「よく考えもしないで行動してはいけない」という戒めだが、現代では、飛行機などで後ろの座席に座る人に断らずに座席を倒してトラブルになることがしばしばあるので、そのことへの注意喚起である。

left 　動 leave（離れる、置いていく）の過去形・過去分詞

be **left** behind　置き去りにされる、落ちこぼれる

No Child Left Behind Act は2001年にアメリカで制定された「落ちこぼれを作らないための初等中等教育法」のこと。学力の地域間格差の是正を目的とし、学力テストの実施と結果公表、州および地方の裁量拡大、基礎学力向上政策への集中投資などが基本方針となっている。

忘れ物はないですか?

Have you left anything? は、よくホテルの部屋の入口のドアの裏側に貼ってある掲示文。部屋を去る前に、忘れ物がな

いかどうか注意を喚起する文句だが、だれかがいたずらをして left と anything を置き換える印がつけてあり、Have you anything left? となっていた、という状況を想像してみよう。この2語を置き換えると「何か残ったものはありますか」という意味になる。つまり、部屋代が高いので料金を支払ったあとに、財布に残っているお金はありますか、というジョークである。

life 名 生活、人生、実物

dog's life 苦労の多い状況、みじめな状況 ☞ dog

larger than life 実物より大きい、実際よりドラマチックに

「実物より大きい」「現実よりよい」ということから、「誇張されて」「実際よりドラマチックに」という意味である。たとえば、映画や小説などで、人物を実際より膨らませたり美化したりして描く場合などに使われる。

Life is what you make it. 《ことわざ》人生とはあなたが形づくるもの。

ことわざで「あなたの人生が望んだようになるかは、あなた次第だ」という意味。しかし最後の it をカットすれば、意味が変わって「人生とはあなたの稼ぐもの」となる。つまり、どれだけ収入を得ているかによって人間の価値は決まる、ということ。このように、よく知られていることわざの一部をカットしたおふざけを clipped proverb と呼ぶ。

life span 寿命

人間に関して言えば「寿命」で、average life span は「平均寿命」のこと。動物や植物あるいは機械や器具の「寿命」「耐用年数」についても言う。health span は「健康寿命」のことで、寝たきりや要介護状態ではなく、健康上の問題がない状態で日常生活を送れる期間のこ

とを指して言う。

• This breed of dog has an average life span of 12 years.（この犬種の平均寿命は12歳だ）

previous **life**　前世

現世に生まれ出る前の「前世」のことで、ユーモラスに「前職」「過去」の意味でも使う。

• I was a journalist in my previous life.（私は前職ではジャーナリストだった）

pro-**life** and pro-choice　妊娠中絶に反対と賛成の　☞ pro

quality of **life**　生活の質、QOL

アメリカでは1970年代から認識されるようになってきた人生の充足感や生活水準に対する考え方で、QOL と略される。主に医療や国民生活の水準などに関して使われる。

rest of your **life**　あなたの残りの人生　☞ rest

like　前 …のように、《口》…というようなことを言った

「…のような」や「およそ…」のように、似ているものや近いものを表すのに用いられる前置詞。また、主に若者が口語で使うくだけた表現で、be like の後に人が言ったことを引用して「…といった感じで」「…というようなことを言った」という使われ方もある。

• She was like, "Now I am your boss."（「今は私があなたの上司よ」みたいなことを彼女は言った）

　　また、口語においては、ただ単に well や you know などの filler（つなぎ語）として使うこともある。ただし、このような言い方はあまり多用しないほうがよいとされる。

like-minded　形 同じ考え［趣味、心、目的］の

like-minded people は「同好の士」のこと。Great minds think alike. はことわざで、「賢い人の考えることは同じだ」という意味だが、相

手の考えが自分の考えと一致した時にふざけて言う決まり文句。

something **like**   およそ…、約…

• I understand that something like a quarter of the world's population can get by in English to a certain extent.

(世界の人口のほぼ4分の1は、ある程度英語ができるそうだ)

• A study has found something like 200,000 British seniors hadn't had a conversation with a friend or a relative in more than a month.

(イギリスのおよそ20万人の高齢者が、1か月以上、友人や親族と会話しなかったという研究結果がある)

line   名 線、行

bottom **line**   (企業の)収益、最終損益、(一般に)肝心なこと、最も重要な点

「要点」「最終結果」「重大局面」などを意味する。もともとは決算書のいちばん下の行(line)に示される企業の純益または純損のこと。

• Write-offs of bad loans impacted on the bottom line.

(不良債権処理が最終決算に影響を与えた)

• I'm afraid the head-count reduction hasn't had the hoped-for effect on the bottom line.

(残念ながら人員削減は、期待した効果を収支にもたらしていない)

by**line**, head**line**, date**line**, dead**line**   筆者名、見出し、発信地と日付、締め切り

いずれもマスコミ用語。byline は新聞・雑誌の記事の最初にある筆者名を記す行のこと。By John Smith などと記者の署名があるところから。headline は見出し、dateline は記事の発信地と日付(London, January 1などと記す)、deadline は締め切りのこと。

finish **line**   ゴール、決勝線

日本語では競走の決勝線のことを「ゴール」、そこに張られたテープ

は「ゴールテープ」と呼ぶが、これは和製英語で、英語では finish (line) と言う。イギリス英語では finishing line。

　プロジェクトやキャンペーンの目標達成時点や定年退職のことも finish line と呼ぶことがある。

• Hundred-meter sprinters raced for the finish line like greased lightning.（百メートルの短距離走者は、ゴールを目指して電光石火の如く疾走した）

• The traditional retirement age of 65 is an arbitrarily imposed finish line. It doesn't make much sense these days, what with increased longevity and seniors leading more active lifestyles.
（65歳というこれまでの定年は、一方的に強要されたゴールである。それは、今ではあまり意味がない。なぜならば寿命が延びているし、高齢者が以前よりも活動的な生き方をしているからだ）

line of work　職種、業種

What line of work [business] are you in? は、相手の職業を尋ねる場合の常套句の1つである。アメリカでは1950年代から60年代にかけて、有名人の回答者たちが質問を重ねてゲストの職業を当てる仕組みの、What's My Line? というテレビのクイズ番組があり、人気を博した。

make a bee**line** for　…へ一直線に行く　☞ bee

read between the **lines**　行間を読む

ここでの line は文章が書かれている「行」のこと。文字どおりの意味の「行間を読む」から「言外の意味を読み取る」「明確には記されていないことについて解釈する」ことを意味する。

• My boss's email is often brief, but I can read between the lines and sense his frustration.
（私の上司のメールはしばしば簡潔だが、私は行間を読み取り、彼のいらいらを感じることができる）

reporting **line**   指揮命令系統

正式な reporting line ではないが、副次的あるいは非公式な指揮命令系統によって果たすべき責任は dotted-line responsibility などと言う。組織図などでは点線（dotted line）によって示されている。直属の部下のことは direct report と呼ぶ。

sign on the dotted **line**   正式に契約をする

通常は契約書などの文書の最後の部分に点線がある。そこに署名をすることから。

top-of-the-**line**   形 最高級の、最新鋭の ☞ top

list   名 リスト

endangered species **list**   絶滅危惧種リスト、消滅の危機にあるもののリスト

一般的には、ワシントン条約（Washington Convention）の付属書（＊国際取引が制限される動植物が記載されている）や、国際自然保護連合（IUCN）が作成した Red List を指す。

endangered（species）list は動植物だけでなく「消え去ってしまった、あるいは絶滅寸前のもののリスト」という広い意味で使われることもある。その例としては手書きの手紙（handwritten letter）、公衆電話（payphone）、ATM、ファックス機（fax machine）などがよく挙げられるが、超多忙な現代社会においてお昼にゆっくり食事をすることも少なくなってきていることから、Today lunch hour is on America's endangered list. などと言うこともある。

The **list** goes on.   例を挙げればきりがない。☞ go

to-do **list**   やるべきことのリスト

•As the first business of the day, Alice always makes a to-do list to prioritize her tasks and stay organized. (一日の最初の作業として、アリスは仕事に優先順位をつけ、手際よくことを運ぶために、やる

べきことのリストをいつも作成する）

lite <small>形 light（軽い、あっさりした）の短縮形</small>

Lite: the new way to spell "Light," now with 20% fewer letters!（Lite は Light の新しいつづり方、文字が20パーセント少ない!）

　lite は1950年代くらいから、特に商標・商品広告で用いられている単純化されたつづりである。元の語の light が5文字なのに対して lite は4文字であるから、字の数が20パーセント少なくなっているということ。この文句自体が広告のキャッチコピー（＊これは和製英語、英語では tagline と言う）に似せて書かれているところにおかしみがある。

live <small>動 生きる、生活する</small>

cost of living 生活費 ☞ cost

live beyond [above] one's means 自分の収入以上の生活をする、分不相応に暮らす

　「自分の収入の範囲内で暮らす」「分相応の生活をする」は live within [beneath] one's means となる。

live from one paycheck to the next 給料ぎりぎりの生活をする、その日暮らしをする

　live paycheck to paycheck とも言う。paycheck は「給料支払い小切手」のことだが、一般に「給与」の意味でも用いる。アメリカでは、給与は月給ではなく週給のところが多く、また、かつては毎週あるいは2週間に一度小切手で支給されるのが一般的だった。そのほとんどすべてを生活費に使ってしまい、貯金があまりできないような暮らしを指す。

live in the past 過去（の思い出）に生きる、考えが古い ☞ past

lock 　图錠、ロック　動鍵をかける、閉じ込める

lockdown　图ロックダウン、(緊急的な)避難、封鎖

「感染拡大防止などのために、都市部において、人々の外出や移動を制限すること」で、「都市封鎖」とも訳される。2020年の *Collins Dictionary* の Word of the Year であった。lockdown は、刑務所での囚人による暴動や、無差別殺傷事件を引き起こす可能性のある銃を持った不審者(active shooter)が学校に侵入した際などに、すべての出入口を封鎖することも意味する。

long 　形長い　副長く

(as) long as　…であるからには、…だから、…するかぎりは

• This restaurant can't improve its service as long as it is understaffed. (このレストランは、人手不足であるかぎりサービスを改善することができない)

long Covid　新型コロナウイルス感染症の後遺症

コロナの後遺症としては、回復期以降に現れる極度の疲労や筋力低下、微熱、睡眠障害、頭痛などのほか、原因がまだ究明されていない brain fog と呼ばれる症状が挙げられる。long-hauler は「長距離トラックの運転手」を指すが、「コロナの後遺症に長く苦しむ人」の意味でも使われる。☞ haul (long-hauler)

long run　長期間

「長い期間」というのは「長距離レース」からの比喩。反対は short run で、いずれも前置詞は in、for、over が使われる。

• Regular exercise, over the long run, contributes to improved health. (定期的な運動は、長い目で見れば健康増進に寄与する)

• Building strong relationships requires mutual trust and communication over the long run. (強い人間関係を築くには、長期間

にわたる相互信頼とコミュニケーションが必要だ)

次のバスは…?

"How long is the next bus?"
"Just the same as the last bus."

　How long is the next bus? は口語で「次のバスまでどの
くらい待ちますか」と尋ねる時の言い方。しかし how long
を「バスの長さ」と解釈すれば、返事は「前のバスとまったく
同じ」になるということ。

---

loop 　形 輪形のもの、ループ

in the loop 《口》情報を共有して、事情に通じて

　loop は一般に「輪形のもの」のことで、out of the loop は「蚊帳の
外に置かれて」「トップの実力者グループに加われないで」といった
意味で使う。

・It's important to include our lawyers in the loop for any
important meetings or discussions related to the lawsuit.（その訴
訟に関連した重要な会議や議論には、会社の弁護士を入れることが重要だ）

lose 　動 失う

lose face 　面子を失う、顔がつぶれる、顔に泥を塗る ☞ face

lose one's shirt 《口》無一文になる、すってんてんになる

　「着ているワイシャツまで失う」というところから、「(ギャンブルや
投資などで) 大金［全財産］をなくす」という意味の口語。go broke
も同じ意味で使う。

Use it or lose it. 　使わなければだめになる。☞ use

loud 形 (声や音などが) 大きな

loud and clear   明確な、はっきりした

もともとは通信用語で、無線通信が明確にはっきり聞こえること。

• The message was loud and clear: Wash your hands. Cover your mouth. Sanitize surfaces people touch.（そのメッセージは明確だった。手を洗いなさい。口を覆いなさい。人が触る物は表面を除菌しなさい）

love 名 愛 動 愛する

love affair with   …への熱中、…に対する愛着

love affair は通常は「情事」「恋愛関係」「不倫」「浮気」のことだが、人間関係以外では「熱中」「熱意」「愛着」の意味で使うことが多い。

• The American love affair with firearms is something I find very hard to understand.（アメリカ人の銃器への愛着は、私には非常に理解しがたいものだ）

• The French have a passionate love affair with their cuisine.（フランス人は自国の料理に対して情熱的な愛情を持っている）

テニス以外では love がすべて

Love is everything … except in tennis, in which it means zero.（愛がすべてである…テニス以外では。テニスではゼロを意味する）

「ゼロの形が卵に似ていることから，フランス語の l'œuf（卵）が英語の発音で love になったという民間語源説がある」と『ジーニアス英和辞典』ではテニス用語の「ラブ」（0点）を説明している。☞ folk（folk etymology）

-made 形 …で作られた、…製の

custom-made　形 オーダーメイドの、特注の、あつらえの

tailor-made も同じ意味。tailor-made は「テーラーによって仕立てられた」ということだが、洋服だけでなく一般的に「注文仕立ての」「あつらえの」という意味でも使う。made-to-order とも言う。反対の「既製 の」「できあいの」は readymade、off-the-shelf、off-the-rack などと言う。

self-made　形 独力で成功した、自力でたたき上げた ☞ self

MAGA アメリカを再び偉大に（Make America Great Again の略）

2016年の大統領選挙キャンペーン以降にドナルド・トランプ陣営が使ってきたスローガン。近年ではトランプと彼の支持者のシンボルともなっている。「MAGA は過激主義者」と反対派からは非難されることもある。もともとは1980年の大統領選挙においてロナルド・レーガンが使用したもの。

mail 名 郵便、メール

mail carrier　郵便配達人、郵便集配人

かつては mailman と呼ばれていたが、男女平等の見地から現代では mail carrier あるいは letter carrier が普通の用法である。

postal **mail**box　郵便受け

かつては mailbox だけでよかったが、電子メールの「メールボックス」と区別するために postal とわざわざつけ加えるようになった retronym（＊retronymは「懐古」「復古」の意味の retro と、「語」を表す -nym の合成語）である。また同様に「普通の郵便」も、snail mail や hard mail とも呼ばれる。hate mail は嫌がらせの手紙、中傷文書のこと。

make 動 作る、…にする

make a difference　効果がある、違いが生じる、重要である

「違いを作る」ということだが、「決定的な違いや効果をもたらす」の意味で用いる。否定形の make no difference は「どちらでも同じだ［構わない］」「どうでもいい」ということ。It makes no difference whether Tony's story is true or not. I trust our friendship.（トニーの話が真実であろうとなかろうと、どちらでもいい。私は私たちの友情を信じる）のように使う。What difference does it make? あるいは What's the difference? は、「どうだっていいじゃないか」「どっちみち変わりはないじゃないか」といった意味である。

make a spectacle of oneself　失態を演じる

「人前で恥をさらす」「失態を演じる」「物笑いの種になる」というイディオム。make a scene（ひと騒ぎを起こす）とも少し意味が似ている。

mark 名 的、マーク

on the **mark**　そのとおりで

反対の意味のフレーズは off the mark で、「的外れで」ということ。陸上競技のスタートの合図である「位置について、用意、スタート！」は On your mark, get set, go! と言う。

• Jeremy's answers in the job interview were right on the mark, demonstrating his deep understanding of our corporate culture.（ジェレミーの就職の面接での答えはまさに的を射ており、わが社の企業文化への彼の深い理解を示していた）

mass 形 大量の

mass shooting　大量射撃事件、銃乱射事件

定まった定義はないが、一般的には射撃者やその他の犯行者を含ま

ない4人以上が殺害された発砲事件とされる。

mean 動 意味する、意図する

mean it　本気である

I didn't mean it. は「そういうつもりで（言ったので）はなかった」「冗談だよ」「本気ではなかった」ということ。

- I want to help you. I meant it.（あなたを助けたい。本気です）

mean to　…するつもりである

- I've been meaning to ask you a question.（あなたにかねがね聞きたいと思っていたことがある）

meat 名 肉

cultured **meat**　培養肉

「代替肉」（meat substitute または meat alternative）の一種で、牛や鶏などの動物から取り出した細胞を培養して作る肉のこと。再生医療の技術を用いて、動物から取り出した少量の細胞を体外で増やして生産する。将来起こりうる世界の食糧危機を解決する切り札になるかもしれないと話題になっている。ただ、培養肉の技術はまだ開発途上であり、大量生産ができるようになるまでには課題が残されているとされる。

meme 名 ミーム

internet meme の略で、インターネットスラングの1つ。通常はソーシャルメディアを通じて人から人へと急速に広がるキャプション付きのユーモラスな画像や動画などだが、テキストだけのこともある。動物や赤ちゃんの思いがけない動きやかわいらしいしぐさといったものが人気。広がる過程において新しいメッセージがつけ加えられたりすることもある。

milk [動] 搾取する、搾り取る

「乳を搾る」というところから「搾取する」という意味でも使われる。

• Sebastian milked his clients too much. His actions were motivated entirely by greed.（セバスチャンはあまりにクライアントを搾取しすぎた。彼の行動はひたすら強欲につき動かされたものだった）

mill [名] 水車場、製粉所、工場

比喩的に「ものを自動的に作り出す場所」というような意味でも使われる。rumor mill は「うわさの発生源」「うわさを流すところ」の意味。diploma mill は、「卒業証書製作所」「卒業証書を簡単に発行する大学」のこと。実際に就学せずとも一定の金銭を支払えば「学位」を授与すると称する怪しげな機関・組織・非認定団体のこと。

through the mill 《口》苦しい経験をして、試練を受けて、鍛えられて

「(水車場の石うすでひきつぶされる穀物のように)つらい目に遭う」という意味。

mind [名] 心、理性 [動] 気にする

mind-boggling [形]《口》気が遠くなるような、信じられないような

boggle は「びっくり仰天させる」「圧倒する」という動詞で、mind-boggling は俗語で「度肝を抜くような」「信じられないような」という意味。mind-blowing とも言う。また、boggle [blow] the mind は口語で「啞然とさせる」といった意味のフレーズ。

• Check fraud losses total $18 billion annually, and that's a mind-boggling amount.（小切手詐欺による被害総額は年間180億ドルに上り、びっくりするような額である）

mind one's own business 余計なお節介をしない

Mind your own business. は、「他人のことに口出しするな」「余計

なお世話だ」ということ。

mindset　名 ものの見方、考え方

1960年代中ごろから使われ出した語。

• Stephanie tried to overcome the conservative mindset of her colleagues.（ステファニーは同僚たちの保守的なものの見方に打ち勝とうとした）

never **mind**　心配しない、気にしない

Never mind! は「心配するな」「何でもない」ということ。スポーツなどで、失敗した人を励ます日本語の「ドンマイ」は Don't mind. からだが、英語では普通 Don't mind. とは言わず、Never mind. や Don't let it bother you. などと言う。

open-**minded**　形 偏見を持たない、偏見のない

反対は narrow-minded で、「度量［了見］の狭い」「偏見を持った」ということ。

　absentminded professor は、自分の専門分野に没頭し、ほかのことにはあまり興味のないステレオタイプ的な大学教授のこと。civic-minded は「公共心のある」「市民としての自覚がある」、wellness-minded は「ウェルネス志向の」「心身の健康に関心のある」、sports-minded は「スポーツ好きの」ということ。

• Open your mind and close your mouth.（心を開き口を閉じよ）

mode　名 方式、モード

silent **mode**　着信音が鳴らない設定

日本語の「マナーモード」は英語では silent mode あるいは vibration mode と言い manner mode とは言わない。ringtone は着信音、着メロのこと。電話機に電話や電子メールなどが着信していることを知らせる音。

• Ringtones will disrupt the meeting, so please set your smartphones to silent mode.（着信音は会議を中断させるので、どうぞあなたのスマートフォンをマナーモードにしてください）

mojo 　名《俗》魅力、神通力、活力

「魔法の力」や「呪文」を意味するが、語源は不詳。西アフリカからとか、クレオール語（＊主としてヨーロッパの言語と非ヨーロッパの言語が接触して成立した混成語のうち、母語として話されているもの——『デジタル大辞泉』より）から、といった説がある。

• The university football team has lost its mojo after a series of losses.（その大学のフットボールチームは連敗の後にその勢いを失ってしまった）

mood 　名 気分、機嫌

be in a bad mood（機嫌が悪い）のように用いる。mood の形容詞はmoody で、「不機嫌な」「ふさぎ込んだ」の意。日本語の「ムーディー」は「ムードのある」「雰囲気のいい」という意味で使うこともあるが、英語の moody にはそうした意味はない。

mood swing 　気分［機嫌］の変動

• Fran's frequent mood swings make her a difficult personality.（フランは気分に激しいむらがあって難しい性格だ）

move 　動 移動する

move up the corporate ladder 　会社の出世階段を昇る、昇進［出世］する

日本語では「出世の階段」などと言うが、ladder は「はしご」のことで、「（出世への）道」という意味もある。move up 以外に climb（up）や work one's way up なども使う。ladder of success は「成功への道」のこと。

must 助動 …すべきである

must-do 名《口》すべきこと、不可欠なこと

must- に do、see、have、read、win などの動詞をつけて名詞や形容詞を作る。例として、次のようなものがある。

•Dental hygiene is a must-do if you want to keep your teeth.
（自分の歯を保ちたいのなら歯や歯茎の衛生管理は不可欠だ）

•Overtourism has become quite a burden for many must-see tourist spots all over the world.（世界各地の必見の観光地の多くにとって、観光公害はかなりの重荷になってきた）

mute 名 黙字

mute letter や silent letter とも言う。例としては、以下のようなものがある。

B — bomb, climb, limb, numb

C — indict, muscle, scene, czar

D — Wednesday, handkerchief, handsome

G — gnat, gnaw, sign

H — heir, herb, hour, ghost（herb は h を発音する場合もある）

K — knee, knowledge, knife

L — calm, half, folk, psalm, salmon, yolk（calm や psalm については l を発音する人もいる）

N — damn, column, autumn

P — pneumonia, psoriasis, receipt

T —Christmas, Matthew, castle, listen（＊Matthew については最初の t は黙字、次の t は th の一部で /θ/ の音を形成するとされる）

W — wrestle, wring, wrong

Z — rendezvous（フランス語から）

発音するか、しないか

Unabomber は、1978 年から95 年までの 17 年間に死者 3
人、重軽傷者 23 人を出した連続小包爆弾テロ事件の犯人の
コードネームだ。日本では当初、いくつかの主要全国紙が「ユ
ナボンバー」と誤記していたが、のちに「ユナボマー」に統一
された。bomb という語の最後の b は黙字で、発音しない。
bombed、bombing などの語形変化においても、2 番目の b
は黙音。

　黙字のあとに母音が続いた時に、黙字を発音するかどうか
については、一般的な規則はない。damn という語において、
最後の n は黙字だが、damnation、damnable では n を発
音する。同様に solemn や autumn の最後の n は黙字だが、
solemnity、solemnize、autumnal などにおいては発音する。

　コラムを書く人の意味の columnist については /kάːləmnɪst/
/kάːləmɪst/ の両方の形が辞書には載っている。

　「(寒さなどで)感覚のなくなった」「麻痺した」という意味
の形容詞の numb の比較級は number で、これも b を発音
しないのが普通。しかし、b を発音する場合もある。それは
「数」を意味する場合の number である。

myth　名 根拠のない話、神話

ギリシャ語の mythos から派生した語で、ギリシャ神話などに出て
くる超自然現象や伝説的英雄などと関連した「神話」のこと。しかし
今日では、日本語でも英語でも同様に、「根拠の薄い話」「作り話」と
いう意味で使われることも多い。

• It's a myth that all stress is bad and that we should eradicate it by thinking nothing but happy thoughts.（ストレスはすべて悪いもので、楽しいことだけを考えることでストレスをなくすべきだ、というのは根拠のない話だ）

> **よく知られている現代の「神話」**
>
> 現代の「神話」としては次のようなものがよく知られている。
> • Human beings only use 10% of their brains.（人間は脳の10パーセントしか使っていない）
> • The Great Wall of China is the only man-made structure visible from space.（万里の長城は宇宙から見える唯一の人造建造物である）
> • If you drop food on the floor and pick it up within five seconds, it's still safe to eat.（食べ物を床に落としても、5秒以内に拾えば食べても安全である）

name 名 名前 動 名づける

maiden name　結婚前の名字［姓］、（既婚女性の）旧姓

maiden は「未婚の」「処女の」という意味で、maiden name は女性の旧姓のみに使われる。結婚後、夫の姓を名乗っている場合に、旧姓を括弧に入れて併記する方法として、「旧姓（は）」を意味する *née* というフランス語のイタリック体と共に、Emily Brown（*née* Smith）などと表記することもある。「旧姓」の男女差がない言い方としては、birth name や former family name も使う。結婚後の姓は married name である。

name of the game　肝心なこと、問題の最も重要な点、核心、要点

由来に関しては不詳で、テレビのクイズ番組やスポーツが起源ではないかと考えられてきた。しかし *A Dictionary of Catch Phrases* は、そ

の起源は1961年として、「もともとはアメリカ英語だが、1965年以前には一般的ではなかった…イギリス英語に入ってきたのは1973年」(orig. U.S. but not at all gen. before *c.* 1965 … It did not become Brit. until 1973) としている。

• Learning agility is the name of the game in this uncertain, unpredictable and constantly evolving world.

(不確かで予測不能で絶えず変化しているこの世界において、肝心なのは機敏な学習能力である)

What's in a **name**?　名前がいったい何だというのか。

シェークスピア作『ロミオとジュリエット』(*Romeo and Juliet*) の中のジュリエットの台詞から。What's in a name? に続く台詞は That which we call a rose by any other name would smell as sweet. (バラは、どんな名前で呼んでもよい香りがする)で、「名前が何だというのか。重要なのは中身だ」「名前はあまり重要ではない。実体が大切だ」ということである。

you **name** it　ありとあらゆるもの、何でもかんでも

name には動詞で「名前をつける」「指名する」「言明する」といった意味がある。通例は、いくつかのものを列挙したあとで you name it と言えば、「(それら以外の)何でも言ってください(あります、できます)」という意味になる。

　商店の宣伝文句にも、You name it, we've got it. (おっしゃってください。当店にはあります) や You name it, we can handle it. (どんなことでも対応できます) などと用いられることがある。

自分の給与に名前をつけるとは？

"When you work here, you can name your own salary."
—— "I named mine Andy."

　name your own salary は、通常は「(いくら欲しいと)給

与の額を自ら指定する」ということなので「ここで働くと、自分の給与は自分で決められる」と解釈できる。

　ところが、それに続くのは I named mine Andy. なので、name は「名前をつける」という別の意味だというジョーク。つまり、「給与に好きな名前をつけることができるので、私は自分の給与にアンディという名前をつけた」ということになる。

neck 名 首

be up to one's **neck** 《口》とても忙しい、かかりきりである

neck の代わりに ears や elbows、eyes、eyeballs、eyebrows などの体の部位も使う。いずれも「忙殺されている」ことを意味する。

• With all the pending assignments piled up, Janet was up to her neck in work and couldn't take a break.

（未解決の課題が山積みになっているため、ジャネットは仕事で忙しくて休みを取れなかった）

pain in the **neck** 《口》悩みの種

「首の痛み」のことなので、通常はむち打ち症や寝違えのことを言うのだが、口語では「悩みの種」とか「うんざりさせる人」という意味でも使われる。

• "How's your pain in the neck?"（首の痛みはどうかね）

　"Oh, my wife is out shopping again."（女房はまた買い物に出かけているよ）

nest 名 (鳥や小動物などの) 巣

nest egg （将来のための）蓄え、貯金

「まさかの時のための貯金」ということだが、「退職後の生活に備える

ための貯蓄」という意味で使われることが多い。nest egg には、「擬卵」という意味もある。

　The Facts on File Encyclopedia of Word and Phrase Origins の nest egg の項目には次のような説明がある。People saved nest eggs as early as the 17th century. The expression relates to the pottery eggs once put in hens' nests to induce the hens to lay their own eggs. Persons who start saving a nest egg put a little money (like a porcelain egg) aside, which encourages them to save more. (17世紀にはすでに、人々はまさかの時のための貯金をしていた。この表現は、かつて雌鶏が自分の卵を産むように促すために、巣に入れた陶器の卵に関連している。いざという時のために貯蓄を始めた人は、(磁器の卵のように) 少しのお金を脇へ置いておき、それがさらなる貯蓄を促す)

• One in five Americans approaching retirement age hasn't set aside a nest egg to go through their autumn years.

(退職年齢に近づいているアメリカ人の5人に1人は、老後の生活をするための貯蓄をしてこなかった)

• Financial advisors emphasized the importance of starting early to build a robust retirement nest egg that can withstand market fluctuations.

(ファイナンシャル・アドバイザーは、市場の変動に耐えうる強固な退職後の蓄えを築くために、早い時期から始めることの重要性を強調した)

return to the **nest**　親元に戻る

nest には、「人の住む家」「親元」の意味もある。子供が巣立って親だけになった家のことを empty nest、そこに残された寂しい親、老夫婦のことを empty nester と呼ぶ。empty nest syndrome は、「空の巣症候群」で、子供が独立して家を出たあとの中高年夫婦に見られる沈鬱な状況のこと。

news 名ニュース、ニュースのネタ

Bad news travels fast.　悪いうわさ [ニュース] はすぐに広まるものである。

　一方 good news については Good news takes the scenic route.（よいニュースは観光名所を回るルートを辿って進む）などと冗談めかして言うことがある。travel には「（知らせなどが）伝わる、広まる」という意味と「旅行する」という二重の意味があるところからのジョークである。

next 形次の、すぐ近くの

next to impossible　不可能に近い、ほとんど不可能な

next to を使った表現はほかにもいろいろある。Cleanliness is next to Godliness. はことわざで、「清潔さ [きれい好き] は信心深さに次ぐ美徳」の意味。be worth next to nothing は「ただ同然である」「二束三文である」ということである。

• Most of us find it next to impossible to get enough exercise to burn off extra calories.

（余分なカロリーを燃焼させるのに十分な運動をするのは、不可能に近い、とたいていの人は感じている）

nice 形よい、すてきな

Nice guys finish last.　いい子ぶっていたのでは勝負に勝てない。

The Oxford Dictionary of Catchphrases によれば、メジャーリーグの選手で、その後監督も務めた、レオ・ドローチャーが言ったとされる有名なことば。ドローチャーは1975年に *Nice Guys Finish Last*（邦訳『レオ・ドローチャー自伝　お人好しで野球に勝てるか！』ベースボール・マガジン社刊）という題の本を書いている。「いい子ぶっていたのでは

勝負に勝てない。本当に勝ちたければ最後まで必死に戦え。少しぐらいルールを破っても。お上品にやっていたのではビリだ」といった意味で使われる。

nine (基数詞の)9、9つ

nine to five　9時から5時まで

work nine to five［9 to 5］で、平日の9時から5時まで働くということ。退屈で規則的な勤めをするというニュアンスがある。nine-to-fiver といえば9時から5時まで退屈で決まりきった仕事をする人、という意味になる。同じような意味で、clock-watcher も使われる。退社時間を気にして常に時計を見る人のこと。日本語の「サラリーマン」と同じように、「給与をもらって決められた時間しか働かない人」といった、多少さげすむ意味で使うこともある。

　ロナルド・レーガン大統領は nine-to-five President などとアメリカのマスコミから呼ばれていた。権限の委譲を大幅に行い、執務時間を9時から5時と定め、午後からは昼寝の時間も取っていたと言われる。

none 代 何も…ない、少しも…ない

none of the above　上記のいずれでもない

アンケートやテスト問題で、「適切なものに印をつけなさい」という設問に対して、答えの選択肢がいくつか与えられていて、最後に「上記のいずれでもない」という項目が設けられていることがある。このフレーズはそうした場合に使う常套句だが、口語で「そのいずれでもない」という意味で使う。

One of these days is **none** of these days.　いずれそのうちという日はない。☞ day

nose 名 鼻

nose は「鼻」のことだが、「詮索」「口出し」を連想させる名詞で、*Merriam-Webster.com Dictionary* では a symbol of prying or meddling curiosity or interference（詮索あるいはおせっかいな好奇心または口出しのシンボル）と説明している。また、nose から派生した nosy は口語の形容詞で、「詮策好きな」「おせっかいな」「好奇心の強い」という意味。

stick one's nose in　《口》…に干渉する、…に首を突っ込む

• Kay may have meant well, but it's really not her business to be sticking her nose in other people's affairs.（ケイに悪気はなかったのかもしれないが、他人の事情に首を突っ込むのは、まったく余計なお世話だ）

once 副 一度、かつて

Once burned, twice shy.　《ことわざ》一度やけどをすると、以前にもまして臆病になる。

Once bitten, twice shy.（一度嚙まれると、以前にもまして臆病になる）とも言う。日本語のことわざの「あつものに懲りて、なますを吹く」とも似ている。あつもの（羹）とは菜・肉などを入れて作った熱い吸い物のことで、その熱いのに懲りて、冷たいなます（膾）を吹いて食べる、つまり「一度失敗したのに懲りて無益な用心をする」ことのたとえ。

once upon a time　昔々

おとぎ話（fairy tale）などの初めに出てくる決まり文句で、13世紀から使われてきたと言われる。そして最後の決まり文句は、They lived happily ever after. で、「そのあと、ずっと幸せに暮らしましたとさ。めでたし、めでたし」などとなる。

おとぎ話のはじまりは?

子供 が 親 に Do all fairy tales start with "Once upon a time"?(すべてのおとぎ話は「昔々」で始まるの?)と尋ねると、親は、それ以外にも "If elected, I promise to …"(当選の際には…を 約束 します) とか "I've got too much work in the office tonight, I'll come home late."(今夜はオフィスに仕事がありすぎるから、遅く帰るよ)で始まることもある、と答えるというジョークもある。fairy tale にはおとぎ話のほかに「作り話」「あてにならない話」という意味もあるので。

op-ed 　名 形 社説対向面(の)(oppsite editorial の略)
op-ed page 　社説対向ページ

新聞を開いた時に社説ページの反対側にあるページのこと。ここは通常、社内・社外のコラムニストのコラムや著名人の記事、エッセイ、それに advocacy ad と呼ばれる意見広告などが掲載されることが多い。ニューヨーク・タイムズが最初にそうしたページを設けたのは1970年のことだが、2021年に op-ed page という表記をやめると発表した。多くの読者が新聞をオンラインで読む時代に、「向かい側」(opposite)という表現がもはや似つかわしくない、というのがその理由であった。

open 　形 開いている、開かれた
open-ended question 　自由回答式の質問

open question ともいう。たとえば、What is your take on racism?(人種差別に関するあなたのお考えは?)などのように、相手が自由に考えて答えられる質問のこと。その反対は closed-ended question ある

いは closed question で、選択肢を用意してその中から選ばせたり、Yes / No と二者択一を迫ったり、あるいは What year were you born?（何年生まれですか）と具体的な事実などを尋ねる時に用いるものである。

open-ended question は、相手の幅広い意見を聞きたい時に有効な質問方法で、詳細な情報を引き出したり、会話をつなげやすいという利点があるが、こちらが欲しい情報を的確に聞き出せないというリスクもある。一方、closed-ended question は相手が回答しやすく、素早く回答を得られるという利点がある。しかしそうしたタイプの質問だけを続けていくと、相手は尋問や詰問を受けているかのように感じ、ストレスを生じさせる可能性がある。

open-minded 　形 偏見を持たない、偏見のない 　☞ mind

page 　名 （本などの）ページ

on the same **page** 　共通の認識［理解］を持って

イメージとして、会議などですべての参加者が同じページを開いて見ているところから、「共通の情報や認識を持って」ということ。read from the same page も同じような意味で使う。

•Before we begin, let's make sure everyone is on the same page regarding the objectives and timelines of this project.（始める前に、このプロジェクトの目的とスケジュールについて、全員が同じ考えを持っていることを確認しよう）

pass 　動 過ぎる、過ごす

pass away 　亡くなる、他界する

「死ぬ」の意味の婉曲表現。*Rawson's Dictionary of Euphemisms and Other Doubletalk* には pass away の項目に bid farewell、close one's eyes、fade、kick the bucket、make one's（final）exit、take one's last sleep など50以上の類語が収められている。しかしマスコミの記事では、事実を正確に伝えるという観点から、直接的に取材対象のことばを引用する場合以外には、こうした婉曲表現はあまり使わないのが普通。記者などのために用字法や文体に関するルールをまとめた *The Associated Press Stylebook* の "death, die" の項目には、Don't use euphemisms like passed on or passed away except in a direct quote. とある。☞ bow (bow out)

pass the buck 責任転嫁する ☞ buck

pass up （申し出など）を断る、（機会）を逃す

an opportunity too good to pass up は「逃す［断る］には忍びない機会」ということで、転職などに関連してよく使われるフレーズ。

• Despite the long commute, Sam knew he shouldn't pass up the job offer from the blue-chip company. （長い通勤時間にもかかわらず、サムはその優良企業からの職のオファーを断ってはいけないと知っていた）

past 名 過去

a thing of the **past** 過去のもの［こと］、昔の話

過去には存在、あるいは普及していたが、現在ではもはやそうではないことやものを指すフレーズ。何かが時代遅れになったり、新しく開発されたものに取って代わられたことを示す。

• Traditional handwritten letters have become a thing of the past in the age of text messaging and emails. （伝統的な手書きの手紙は、テキストメッセージや電子メールの時代に過去のものとなった）

live in the **past** 過去（の思い出）に生きる、考えが古い

過去の経験［成功、失敗］に執着しすぎたりする傾向にあるということ。過度にノスタルジックになったり、時代遅れの考えにしがみついたりする時にも言う。

・It's time to move on and stop living in the past. Focus on the future.（前に進み、過去に生きるのをやめる時だ。未来に目を向けなさい）

peer　名（社会的に）同等の地位の人、同僚、友人

peer pressure　（仲間集団からの）同調圧力

「仲間と行動や価値観を共有して適応するように求める、集団からの社会的・心理的圧力」のこと。peer recommendation は商品やサービスの購入を決定する際に効果的な「仲間の推薦」。

pick　動つまんで取る

pick someone's brain　人の知恵［知識］を借りる

Cambridge Dictionary には to ask someone who knows a lot about a subject for information or their opinion（あるテーマについて詳しい人に情報や意見を求める）という説明と次のような例文が出ている。Can I pick your brain about how you got rid of those weeds?（どうやってあの雑草を取り除いたのか教えてくれますか?）また同辞書によると、イギリス英語では brains と複数形を使うようだ。

・May I pick your brain about how to improve the high job turnover rate?（離職率の高さをどう改善したらいいか、知恵を貸してもらえませんか）

pick up the bill　《口》勘定を払う ☞ bill

pick up the tab　《口》勘定を払う ☞ tab

pill　名丸薬、ピル

a bitter **pill** to swallow　耐えねばならない嫌なこと

bitter pill は「苦い丸薬」のこと。それを「のみ込む」（swallow）というところから、比喩的に「受け入れるにはあまりにもつらいが、受け入れざるを［耐えざるを］得ないこと」という意味。

pink 　名形 ピンク(の)

pink は「女性の色」とされてきた。1992 年刊行の *Longman Dictionary of English Language and Culture Second Edition* には pink の項目のところに、Pink is often thought of as a colour for females. Girl babies are sometimes given pink clothes and boy babies, blue.（ピンクはしばしば女性の色と思われがち。女の子の赤ちゃんにはピンク、男の子の赤ちゃんにはブルーの服を与えられることもある）という説明がある。☞ job(pink-collar job)

pink-slip 　動 解雇通知を出す ☞ slip

play 　動 遊ぶ 名 遊び

play on 　…のもじり、…にかけたしゃれ

play on words は「ことば遊び」のことで、あることばに同時に 2 つの違った意味を持たせて言うダジャレのこと。play a joke on someone は「(人)をからかう」という意味。

plus 　名形 プラス(の)

plus size 　特大サイズ

plus size の確定した定義はないが、アメリカでは一般的に size 12 and above を指すとされる。日本では XL あるいは 3L、4L などと表記される特大サイズのこと。今ではアメリカの大手小売店やデパートなどに、Plus Size と書かれた(婦人)服売り場などが設けられている。

pluses and minuses 　プラス面とマイナス面、よい点と悪い点

言い換えとしては pros and cons や upsides and downsides、advantages and disadvantages、benefits and drawbacks、positive and negative aspects などがある。

pull 動引く

pull (one's) punches 《口》手加減する、手心を加える

ボクシング用語で「(強い) パンチを控える」というところから、ことばによる攻撃・批評などについて「非難に手心を加える」といった意味に用いる。pull no punches や not pull any punches のように否定文で使うことが多い。

• The guest speaker at the commencement ceremony didn't pull any punches in describing the challenges graduates face in landing a job nowadays.

(卒業式でゲストスピーカーは、卒業生が現在直面している就職の困難さについて手加減することなく述べた)

pull the plug   プラグを抜く、《口》やめにする

plug は電気の「プラグ」「ソケット」のこと。それを外して電源を切るところから、「やめにする」「打ち切る」ということ。

pull up stakes   《口》転居する

stake はこの場合「テントを張るための杭」のことで、それを「引き抜く」ところから、口語で「居住地を離れる」「転居する」「引き払う」を意味する。

quit 動 (勤め) を辞める、(やっていること) をやめる

「辞める」「辞職する」という意味の普通の動詞だが、過去形・過去分詞はイギリス英語とアメリカ英語で異なる。通常、アメリカ英語では quit – quit – quit と同形を用いるが、イギリスでは quit – quitted – quitted と規則変化する。また、この語自体には悪い意味はないが、「人」を意味する接尾辞の -er をつけた quitter は、「すぐに投げ出してしまう人」「簡単にあきらめる人」「臆病者」のこと。あまりいい意味には使わない。

やめるのはだれ？

If quitters never win, and winners never quit, who came up with "Quit while you're ahead"?

　Quitters never win, and winners never quit. はことわざで、「あきらめてしまう人は決して勝たない、勝者は決してあきらめない」ということ。だとすれば「Quit while you're ahead. と言ったのはだれだ」ということだが、こちらも決まり文句で、be ahead は口語で「勝っている」「リードしている」ということ。ギャンブルなどで調子づいている人に、「勝っているうちにやめておきなさい」などと言う時の表現。

　これは、この2つの矛盾を指摘しているジョーク。

rage 名 激怒

be all the rag 《口》大きなブームである、大きな人気を博している

rage は「激怒」「憤怒」のことだが、be all the rage というイディオムでは「大流行」などの意味で使われる。

• Grandparenting classes are all the rage now. They're usually offered by hospitals and senior centers.（祖父母教室は今、大きなブームだ。たいていは、病院や高齢者センターが開いている）

• Japan's anime and manga are all the rage overseas and they have come to represent Japanese culture.（日本のアニメとマンガが海外で大ヒットし、日本文化を代表するまでになっている）

road rage 車の運転中にかっとなること

車の運転中にかっとなること、またその結果起きる事件などを指す。1990年代の初めから使われるようになった語。*A Concise Dictionary of New Words* には次のような定義が載っている。an uncontrollable anger that overtakes and takes over some drivers（including normally reasonable people）as a result of the frustrations of late twentieth century traffic conditions（20世紀末の交通事情への フラストレーションの結果としてドライバー（通常は理性的な人を含む）を 襲い人格まで支配するような抑えがたい怒り）

rain 動 雨が降る

rain cats and dogs 《口》雨がどしゃ降りに降る

「どしゃ降り」と「猫と犬」とどう関係があるのかということについて は諸説ある。*The Facts on File Encyclopedia of Word and Phrase Origins* には、literal explanation（文字 どおりの 説明）として、during heavy rains in 17th-century England some city streets became raging rivers of filth carrying many dead cats and dogs（17世紀のイギリ スでは豪雨が降ると、街中が多数の猫や犬の死骸などの流れる汚物の洪水 になるところがあったから）という解釈が載っている。あるいは、フラ ンス語で「滝」を意味する catadoupe の音が cats and dogs に似て いたからという説や、北欧神話（Norse mythology）では犬は嵐の神 の Odin の家来で、猫は嵐を起こすと信じられていたからといった 説も紹介されている。

rain on someone's parade 《口》（人）の楽しみに水をさす

「パレードに雨を降らせる」から、口語で「（人）の楽しみに水をさす」 「（人）の熱意や計画を台無しにする」ということ。持論を展開してい るところに横やりを入れたり、相手が楽しみにしていたことを台無 しにしたり、幻想をぶち壊すといった意味で使う。

• Jerry was thrilled about his promotion, but his family rained on his parade by highlighting increased responsibility.（ジェリー は昇進に胸を躍らせていたが、彼の家族は責任が重くなることを強調し、水 を差した）

rate 動 評価する 名 割合、評価

be rated as …として評価される、…とみなされる

人についても物についても使う。

• This restaurant has been rated as one of the best in Tokyo.（このレストランは、東京でいちばんいいレストランの1つと評価されている）

read 動 読む

read between the lines　行間を読む ☞ line

read body language　ボディーランゲージを読む

「顔色や表情・態度などから意味を感じ取る、判断する」ということ。read は「読む」ということだが、Taro is always poker-faced. It's difficult to read him. は「太郎はいつもポーカーフェイスで、何を考えているのかわからない」などのようにも使う。

real 形 現実の

real world　現実の世界

「実社会」「現実の世界」「俗世間」といった意味。反意語は virtual world（仮想世界）や fantasy world（空想の世界）。

• The college professor said that students have to master two basic skills to be successful in the real world: listening and communicating.（その大学教授が言ったのは、実社会で成功するためには、学生は2つの基本的スキルを習得しなければならないということ。つまり聞く力とコミュニケーション力である）

rest 名 残り

rest of your life　あなたの残りの人生

Today is the first day of the rest of your life.（きょうはあなたの残

りの人生の最初の日）は有名な文句で、グリーティングカードなどにもよく使われている。

Brewer's Dictionary of 20th-Century Phrase and Fable によれば、この文言を最初に使ったのはヘロイン中毒患者の救済機関を設立した Charles Dederich というアメリカ人だそうだ。過去を振り返らずに、きょうを新しい人生の出発点として中毒患者に再起を促す文句である。

ride 動（自転車やバイクなどに）乗る
ride defensively　防御的に乗る

アメリカでは、車を運転する際に drive defensively（防御的に運転する）ということが強調される。たとえどんな状況（天候、道路状況、周囲のドライバーなど）にあっても事故にあわないような、自分の身を守る運転をする、という意味である。そこから、自転車やバイクについても「防衛的に乗る」「身の安全を考えながら（事故の被害者にならないように）慎重に乗る」ということ。歩行者についても walk defensively とも言われる。

risk 名 危険、リスク
at the **risk** of　…の危険を冒して

• At the risk of sounding repetitive, I must emphasize the importance of following safety measures.（同じことを繰り返しているように聞こえるかもしれないが、安全対策を守ることの重要性を強調しておかなければならない）

• At the risk of offending you, I need to express my honest opinion about your project's shortcomings.（あなたの機嫌を損ねるかもしれないが、あなたのプロジェクトの欠点について率直な意見を述べる必要がある）

risk factor for　…をもたらす危険要素

・Obesity, hypertension, smoking and sleep deprivation can be risk factors for diabetes.（肥満、高血圧、喫煙や睡眠不足は糖尿病の危険因子となりうる）

road 名 道

on the **road**　旅に出て、旅の途中で

もともとは「（劇団などが）巡業中で」ということ。そこから「（セールスマンが）地方を回って」「セールスに出て」という意味で使われる。そうした出張の多い「企業戦士」のことを road warrior と言う。またイディオムで get the show on the road といえば、「（組織などを）動かす」、「（計画を）実行する」の意である。

The **road** to hell is paved with good intentions.　《ことわざ》地獄への道は善意で敷き詰められている。

「心がけがよくても正しいこととは限らない」「善意でしたことでも地獄への道になりえる」といった意味で使う。

role 名 役割

gender **role**　性別による役割、男女の役割分担

たとえば「女性の仕事は家の中での料理と掃除、あるいは介護（caregiving）、育児（child-rearing）などで、男性の仕事は家族を養う稼ぎ手（breadwinner）としての家の外での労働」という考え方。秘書や看護の仕事も女性の仕事（pink-collar job）とされてきたが、現代ではこうした考え方が排除されつつある。☞ job（pink-collar job）

roll 動 ぐるぐる回す、始める

Let's **roll**.　始めよう。さあ、いくぞ!

このフレーズが有名になったのは、2001年9月11日、アメリカの同

時多発テロで、UA93便の乗客 Todd Beamer が、テロリストのいる
コックピットに突入する際の最期のことばとされているところから。
roll を用いて「物事を始める」ことを意味するフレーズは、ほかにも
get [set, start] the ball rolling がある。こちらは「ボールを転がし
始める」ことから、「物事を順調にスタートさせる」という意味。

roll one's eyes　目をぐるりと上に向ける

驚きや失望、軽蔑を表すジェスチャー。「目をぎょろぎょろ動かす」
ということ。

Rome 　名 ローマ

かつてヨーロッパの広い地域を支配したローマ帝国、およびその首
都を指す。

All roads lead to **Rome**.　《ことわざ》すべての道はローマに通ず。

かつてローマはローマ帝国の中心であり、そこから広大な道路網が
各地へと続いていた。このことわざは、ある結論や目的に到達する
ためにはさまざまな方法があり得ることを意味している。

Rome was not built in a day.　《ことわざ》ローマは1日にして成らず。

「大事業は短期間では達成できない」「偉大なものを創造するには時
間がかかる」という意味のことわざ。努力と忍耐の重要性を説き、着
実に少しずつ前進することの大切さを強調するためによく使われる
が、時として、仕事が遅れたことへの言い訳となることもある。

root 　名 木の根、(複数で)出自

family **roots**　一族の祖先[ルーツ]

roots と複数形にして「ルーツ」「(心の)ふるさと」「出自」の意味で
使う。grassroots は「草の根」だが、「一般人」「大衆」の意。イディオ
ムの put down roots は「根を下ろす」「定着する」、pull up one's
roots は「住み慣れたところを離れる」を意味する。

root   動《口》(熱心に) 応援する

root for something [someone] はアメリカ英語で、「…を応援する」「…に声援を送る」という意味。root for the home team は「地元チームに声援を送る」こと。cheer for も同じ意味で使われる。

rope   名 ロープ

learn the ropes   《口》(仕事などの) やり方 [こつ] を覚える

帆船にはそれぞれの帆を支えるために膨大な数のロープが使われていて、新しい乗組員はどのロープが何の役割を果たしているのかを把握しなければならなかった。そこから、ropes と複数形にすると「仕事などの秘訣、こつ」を意味する。learn [know] the ropes は「全体の仕組みを理解する [している]」ということ。show [teach] someone the ropes は「(人) にこつを教える」。

rose   名 バラ

through rose-colored glasses   バラ色の眼鏡を通して、楽観的に

日本語でも「バラ色の眼鏡」と言うが、rose-colored glasses は「明るい [楽観的な] 物のとらえ方」という意味。たとえば、Maybe I'm looking at the past through rose-colored glasses, but it seems to have been a happier time. (私はバラ色の眼鏡を通して過去を見ているのかもしれないが、今よりも幸福な時代だったように思える) のように使われる。rose の形容詞の rosy を使った rosy views は「楽観論」「楽観的見解」のこと。

rule   名 規則、ルール

golden rule   黄金律、(一般的に) 行動規範

新約聖書にあるキリストの「山上の垂訓」(*Sermon on the Mount*) の一

節の Whatsoever ye would that men should do to you, do ye even so unto them. を簡約した Do unto others as you would have them do unto you.（人にしてもらいたいと思うことは、あなたも人にしなさい）のことを指す。Golden Rule と大文字で表記することもある。Do as you would be done by. とも言う。

　こうした教えは、文化や宗教の枠を超え、人間関係における共感と理解の重要性を強調する基本的な考え方となっている。

ground **rules**　(基本)原則、基本ルール

もともとはスポーツで、グラウンドやコートごとに決められた規則のこと。そこから「行動上の基本原則」「行動原理」の意でも使われるようになった。会議の冒頭などで、「時間厳守（punctuality）」「携帯電話は silent mode（マナーモード）に」「禁煙」「質問は挙手をしてから」といった ground rules を決めることがある。

rule of thumb　経験則

科学的ではなく、経験に基づいた大雑把なやり方や目安について言う。親指のつけ根から次の関節までは成人男子で約1インチあり、かつては物差しとして使われたことに由来するという説がある。

• As a rule of thumb, you should allocate a certain portion of your income towards savings for a rainy day.（一般的な指針としては、収入の一部を万一に備えて貯金に充てるべきだ）

unspoken **rule**　暗黙のルール

「（言わなくてもわかる）暗黙の決まり」「暗黙のうちに理解されたルール」のこと。unwritten も同じような意味に使う。unwritten rule は「不文律」、unwritten agreement は「口頭による契約」。

　unwritten cultural ［social］rules とは、成文化したものがあるわけではないが、「組織やコミュニティの構成員が暗黙のうちに了解している決まりごと」のこと。Nobody should leave the office before the boss leaves.（上司が退社するまではだれも退社してはならない）とい

う企業文化もある。

rust 名（金属の）さび

Rust Belt　ラストベルト

主に五大湖（Great Lakes）周辺の地域を指す。かつては製造業、製鉄業、石炭生産の中心地であったが、1980年ごろからこうした産業が衰退し、非工業化、経済の衰退、人口減少、都市の荒廃が進んだ。

アメリカの地域呼称

• Bible Belt　キリスト教の影響の強い南部、中西部
• Sun Belt　カリフォルニア州南部からバージニア州に至る温暖で雨の少ない南部地帯
• Snow Belt、Frost Belt　五大湖近くの豪雪地帯。大西洋からロッキー山脈北部に至る北部地帯
• Corn Belt　中西部の農業地帯、穀倉地帯
• Cotton Belt　南部の綿花生産地帯

---

safe 名形 安全（な）

Better **safe** than sorry.　《ことわざ》用心するに越したことはない。

ことわざで、「後悔するより用心したほうがよい」「転ばぬ先の杖」のこと。better A than B という形のことわざはほかにもある。たとえば、Better a big fish in a little pond than a little fish in a big pond. (大きな池の小さな魚でいるより、小さな池の大きな魚であれ)は、日本語のことわざの「鶏口となるも牛後となるなかれ」に相当する。Better a live dog than a dead lion. (死せる獅子より生ける犬に)は、威厳や力強さよりも、地味で小さな存在であっても、生きていることに価値があるという考えを示している。Better the devil you know than the devil you don't（know）.（知らぬ悪魔より知った悪魔）は、未知の不安なリスクよりも、たとえ悪くとも既知の状況に対処するほうがまだましという意味。

safe and sound　無事に

同じような意味の語を2つ重ねたフレーズ。ほかには、rules and regulations（規則）、null and void（無効 な）、terms and conditions（条件）、first and foremost（なによりもまず）などがある。このようにand で結ばれた2つの語が1つの意味を表すフレーズを hendiadys（二詞一意）と呼ぶ。

same 形 同じ

in the **same** boat　同じ境遇［立場、運命］にあって ☞ boat
on the **same** page　共通の認識［理解］を持って ☞ page
on the **same** wavelength　《口》同じ考え方で、波長が合って
☞ wave

scam 名 詐欺

grandma **scam**　祖母詐欺

身内を装って高齢者からお金をだまし取る詐欺。日本では「オレオレ詐欺」として知られている特殊詐欺のことで、grandparent scam とも呼ぶ。世界中で似たような詐欺が横行している。scam artist は詐欺師のこと。☞ con（con man）

scan 動 詳しく調べる、ざっと目を通す［読む］

「詳しく調べる」と「走り読みする」という反対の意味がある。このように1語で正反対の意味をもつ語のことを contronym あるいは auto-antonym と 呼ぶ。どちらの 意味で 使われているかは、文脈（context）によって判断するしかない。

　ほかにも、peruse は「丹念に調べる」と「ざっと読む」という相反する意味がある。また、sanction には「制裁（措置）」と「認可」「許可」、oversight は「見落とし」と「監視」という意味がある。

　日本語でも正反対の意味を持つ語はある。たとえば、「やばい」は「不都合である」「危険である」と「のめり込みそうである」という異なった意味がある（『広辞苑』より）。最近は特にすばらしいと感じられたものについて、「やばい映画」や「このソース、やばい」などのように幅広く使われるようだ。また、「結構な」は「申し分のない」「よい」だが、「もう結構です」は「もうこれ以上は要らない」という意味。

seat 名 座席

be in the driver's **seat**　指導者の立場である

「運転手をつとめる」「運転する」という意味でも使うが、イディオムとしては「指導者の立場に就いている」という意味。

•Pleased by rising profits, the board kept the new CEO in the driver's seat.（増大する利益に満足した役員会は、新しい CEO をトップの座に留めた）

take a back**seat**　二の次［後回し］になる

「後部座席に座る」というところから、「目立たないところにいる」「後塵を拝する」という意味で使う。

　backseat driver は口語で、「無責任な口出しをする人」「おせっかいをする人」の意味で使う。車の後部座席や助手席からうるさく運転に指示を出す人ということ。

•Kindness often takes a backseat in the workplace.（職場において優しさはしばしば後回しになる）

•I value your expertise in this matter, so I'll take a backseat and support you.（この件に関して、私はあなたの専門知識を評価しているので、下がって側面からサポートする）

self 名自身、自分自身

self-deprecating joke   自虐的ジョーク ☞ joke

self-explanatory   形一目瞭然の、説明を要しない、読めばわかる

• A "No Entry" sign is self-explanatory. It indicates you are not allowed to enter a certain area.（「立ち入り禁止」の標識は説明を要しないほど明らかだ。特定の場所への立ち入りが許可されていないことを示している）

self-made   形独力で成功した、自力でたたき上げた

Collins COBUILD Advanced Learner's Dictionary によると、self-made という語によって表現される「成功」までの過程は次のようなものだそうだ。Self-made is used to describe people who have become successful and rich through their own efforts, especially if they started life without money, education, or high social status.（self-made という語は、特にお金も学歴も社会的地位もない状態から人生をスタートし、独力によって成功し、お金持ちになった人の特徴を述べる時に使われる）

• The characteristics of self-made person often include a strong work ethic and determination. They also make the most of opportunities and learn from failures.（独力で成功した人の特徴には、強い労働観と決断力が含まれることが多い。また、彼らはチャンスを最大限に生かし、失敗から学ぶ）

sell 動売る

unique **selling** proposition   独自の売り（の提案）、差別特性

もともとは広告業界の用語。現在では一般的なビジネス用語として、マーケティング・コンセプトを端的にまとめて「ほかと差別化を図る特性」といった意味で用いられ、USP と略される。

sexy 形 セクシーな、魅力的な

従来の意味は、「エロチックな」「性的魅力のある」ということだが、*Collins English Dictionary* には、加 えて interesting, exciting, or trendy（興味深い、刺激的なあるいはトレンディな）という意味と a sexy project と a sexy new car という用例が載っている。また *Longman Dictionary of English Language and Culture* には、Robotics seems to be a sexy subject at the moment. という例文があり「ロボット工学」を「sexy なテーマ」と呼んでいる。

shit 名 動《俗》大便（をする）

Shit or get off the pot. 　大便をするか、しないなら便器から下りろ。
「どっちにするのかはっきりしろ」「行動を起こせないのであれば、この場を去れ」ということ。

shoe 名 靴、立場

shoes は慣用的に「立場」の意味で使う。fill someone's shoes は「（人）の責任［役目］を引き継ぐ」「（人）の後釜に座る」ということ。

in someone's shoes （人）の立場になって

Don't judge a man until you have walked a mile in his shoes. はアメリカのことわざで、「人の立場に身を置いて自分でやってみるまでは、人を批判してはいけない」「他人を批判する前に自分でやってみよ」という意味。

shop 名 店 動 買い物をする

shop around いろいろ探し回る

「（よい品を求め、値段を比較しながら）いくつかの店を見て回る」「（購入を）決める前にいくつかの可能性を検討する」という意味。

When looking for a new car, it's always a good idea to shop around and compare prices at different dealerships. は「新車を探す時は、複数のディーラーを回って価格を比較するのが絶対にいい」ということ。このフレーズは「物品」を購入する場合以外にも「比較検討する」「いろいろな選択肢の中から見きわめる」といった意味で人間関係についても使う。

• Before deciding on a lifelong partner, it's crucial to shop around and ensure that you find someone who can truly complement your values and aspirations. (生涯のパートナーを決める前に、自分の価値観や願望を本当に満たしてくれる人をいろいろ探し回ることが重要だ)

shop till you drop   倒れるまで買い物をする

イディオムで、「ショッピングや実際の買い物に途方もない、あるいは歯止めのきかない時間を費やす」（To spend an exorbitant or unrestrained amount of time shopping and buying things. ― *Farlex Dictionary of Idioms*）を意味する。

drop は「疲れきって倒れる」で、Don't work till [until] you drop. は「倒れるまで働くな」ということ。また、「買い物中毒者」は shopaholic と呼ぶ。

sick 形 病気の、うんざりした

be **sick** (and tired) of   …に飽き飽きして、…にまったくうんざりして

• I'm sick and tired of these endless meetings. They're a waste of time. (こうした終わりのない会議にはまったくうんざりだ。時間の無駄だ)

• I'm sick and tired of listening to your complaints ― just cut it out! (君の不平を聞くのはうんざりだ。やめてくれ)

call in **sick**   病気で休むと連絡する、病欠の電話をかける ☞ call

side 图面、側面 形 側面の、側面的な

flip side （よい面に対する）裏の面、もう1つの面 ☞ flip

side benefit   副次的な効用

「副次的な効用」「付随的な利点」という肯定的な意味で使われる。その反対は薬などの「副作用」を意味する side effect である。しかし side effect も「思わぬよい効果」というニュアンスで使われることもあるため、否定的な意味を明確にする場合は adverse effect とする。

sign 图 兆し、兆候、しるし 動 サインをする、契約をする

sign of the times   時代の動向、時代の特徴を端的に示すもの

あまり歓迎できない時代の趨勢（すうせい）を嘆く場合によく使う。

• The increasingly strict airport security checks are a sign of the times.（空港でのセキュリティーチェックがますます厳重になっているのは、時代の表れだ）

sign-on bonus   （入団・入社時の）契約金

スポーツチームが新しい選手と契約する場合に、sign on a new player などと言うが、ヘッドハンターが役員や上席の社員をリクルートする時に sign-on bonus を支払うことがある。通常は入社して一定期間経過した後に支払う約束で、その間に何らかの理由で解雇した場合、または当人が辞任した場合には支払われない。signing bonus とも呼ぶ。

silk 图 絹、シルク

(as) smooth as silk   シルクのようになめらか

silk の代わりに a baby's bottom（赤ちゃんのお尻）や velvet（ベルベット）などとも言う。

sink 動 沈む

Loose lips sink ships.　不用意にしゃべると、船が沈む。☞ lip

sink like a stone　あっという間にだめになる

石が水に沈むように「あっという間にだめになる」という意味。go over like a lead（発音は /led/）balloon も同じような意味のイディオムで、鉛の風船が浮かばないように「失敗する」「何の効果もない」ということ。

sink one's teeth into　…に没頭する

イディオムとしては「…に没頭［専心］する」という意味がある。Find something to get your teeth into. といえば、「真剣に取り組めるものを探しなさい」ということ。

sink or swim　沈むか泳ぐか、伸るか反るか

「沈むか泳ぐか」「溺れたくなければ泳げ」から、「外部の助けなしに、自分で成功するか失敗するかのどちらかしかない」という意味で用いられる。

　このフレーズの起源については諸説あるが、14 世紀に使われ始めた sink or float（沈むか浮かぶか）がその原型だったとも言われる。当時は泳げる人が比較的少なかったのでこういう形になったらしい。sink or swim と使われるようになったのは1500 年代の初めのころから、シェークスピア作の『ヘンリー四世』(*Henry IV*) の中にも出てくる。しかし *The American Heritage Dictionary of Idioms* によれば、sink or swim というフレーズはヨーロッパにおける魔女（witch）の伝説とも関係があるという。魔女と疑われた女性は、しばしば手足を縛られたまま深い水に投げ込まれ、沈めばその女性は死ぬが無罪、泳げば悪魔と同類とされ処刑されたところから。

　do or die や make or break も同じような意味に使う。

size ［名］大きさ、サイズ ［動］大きさを見て分類する

come in all shapes and sizes さまざまな種類がある［いる］、多種多様だ、多彩だ

慣用句で、人・生き物・物のいずれについても使う。

- In the world of animals, creatures come in all shapes and sizes, from tiny insects to enormous whales.（動物の世界においては、小さな昆虫から巨大なクジラまでさまざまな種類の生き物がいる）

size up the situation 状況を判断［評価］する

- Tricia sized up the situation and decided not to get involved in the argument.（トリシアは状況を判断し、口論に巻き込まれまいと決心した）

slip ［動］滑る ［名］不注意による小さな誤り

slip of the tongue 口を滑らすこと、失言、言い間違い

この slip は「（急いだり不注意だったりするために起こる）小さな誤り」のこと。アメリカの口語では blooper、boo-boo、gaffe、goof、screw-up、slip-up なども「へま」「失敗」の意味で使う。

- The politician apologized for the slip of the tongue in his speech, saying that he meant to say the "depreciation" of the yen instead of the "appreciation" of the yen.（その政治家は、スピーチの中で言い間違いをしたことを謝罪し、「円高」ではなく「円安」と言うつもりだったと述べた）

slip ［名］細長い紙切れ、メモ

pink-slip ［動］解雇通知を出す

アメリカ英語で「解雇予告」「解雇通知」を意味する名詞の pink slip から、動詞として「解雇する」の意味で使われるようになったもの。か

つては解雇通知にピンクの紙が使われていたからとされている。ほかにも「解雇する」という意味では、can、sack、fire、terminate、dismiss、discharge、let go、give the ax などが使われる。

soft 形 やわらかい

soft skills   ソフトスキル、非定形的で定量化するのが難しいスキル

語学や簿記などの検定何級といった数量化が可能な「ハードスキル」ではなく、定量化するのが難しいスキルのこと。コミュニケーション力、批判的な思考力、自己管理力、チームワークに対応する能力、時間厳守の能力といったものが含まれるが、それ以外にも、創造性、適応能力、雑談力、問題解決力、リーダーシップ、ファシリテーション力、決断力などを挙げる人もいる。

• Recent college graduates with soft skills and high grades in fields such as computer science, accounting and finance are in big demand lately.（ソフトスキルがあり、コンピュータサイエンス、会計学、財政学などの分野で優秀な成績を収めた大学新卒者は、最近は引く手あまただ）

span 名 期間

attention span   注意持続時間

have the attention span of a gnat［mosquito］（非常に飽きっぽい、注意力散漫である）のように用いられる。この gnat /nǽt/ はブヨなどのことで、「ブヨ［蚊］ほどしか注意力が続かない」という意味。日本語でも「ノミの心臓」「蚊の脳みそ」などと少ないもの、小さいもののたとえとして昆虫を使うが、英語も同様である。

• Stress and anxiety make it harder to concentrate and retain information. They can reduce your attention span and hinder the formation of new memories or the retrieval of old ones.（ス

トレスや不安によって、集中したり情報を保持したりするのが難しくなる。それが集中力の持続時間を減少させ、新しい記憶を形成したり古い記憶を取り戻したりするのを妨げることがある）

life span 寿命 ☞ life

spin 動 回転する[させる] 名 回転

spin doctor 《俗》(特に政治家の) 報道担当アドバイザー、広報担当者

1984年のアメリカ大統領選 (＊当時現職の共和党のロナルド・レーガンが勝利) から広く一般に使われるようになった。give the ball a spin といえば「ボールにスピンをかける」で、それによってボールを望みどおりの場所に飛ばすという意味がある。また doctor は動詞で「まぜものをする」「ごまかす」「不正に変更する」という意味がある。そうした語感の組み合わせから spin doctor が生まれたのだろう。よい意味では使われない場合もある。

stay 動 保つ

stay-at-home dad 家庭を守る父親、専業主夫 ☞ dad

stay connected 接続を保つ

「(家族などが) お互いに連絡を取れるようにしておく」「インターネットへの接続を保つ」という意味で使われる。後者の意味では stay wired も使う。

• Thanks to technology, it's easy to stay connected with family and friends no matter where they happen to be. (テクノロジーのおかげで、家族や友人がたとえどんなところにいようとも、たやすく連絡を取ることができる)

stay in shape 体型[体調、健康]を保つ

運動などをして「体型[体調]を保つ」ということ。be in good [bad] shape は必ずしも体調に限らず「調子[状況]がよい[悪い]」という

ことで、経済状態などについても使う。

• Once you're past your teens, it gets harder and harder to stay in shape.（10代を過ぎると、体型を保つのがますます難しくなる）

どっちかにしろ

shape up は「ふるまいを正す」「（運動して）体を鍛える」「体調をよくする」といった意味。

　　Shape up or ship out! は「（行いを改めて）ちゃんとやるか、出て行く［辞職する］か。どっちかにしろ」ということ。

☞ shit（Shit or get off the pot.）

---

step　動 足を踏み入れる　名 歩み、ステップ

step [tread] on someone's toes　（人）の感情を害する ☞ toe

step up to the plate　先頭に立って行動する、進んで物事に取り組む、責任を引き受ける

　　もともとは野球用語で「（やる気満々の）バッターが打席に入る」こと。そこから「進んで難しい物事に取り組む」というイディオムとして使われる。

• When no one else volunteered, Tom stepped up to the plate and took over the crisis management team.（だれも進んで引き受けようとしなかった時、トムが名乗り出て危機管理チームの指揮を執った）

stop　動 止める、立ち止まる

one-stop　形 1か所で何でもそろう ☞ one

Stop and smell the roses.　《ことわざ》立ち止まってバラの香りをかごう。

　　西洋のことわざで、「どんなに慌ただしい生活をしていても、バラの

花を見たら、立ち止まって匂いをかぐぐらいの精神的な余裕がなければならない」「リラックスして人生のシンプルな喜びを楽しみなさい」ということ。

The only way to stop a bad guy with a gun is (with) a good guy with a gun.　銃を持つ悪人を止める唯一の手段は銃を持つ善人だ。☞ gun

stun 　動 ぼう然自失とさせるほどの衝撃を与える

短い語なので、新聞の見出しにもよく登場する。

• When I went to London last July, I was stunned by just how scorching it was. (昨年の7月にロンドンに行った時には、焼けつくように暑かったので、衝撃を受けた)

such 　形 そのような

There is no such things as ...　…などというものはない。

There's no such thing as a free lunch. は「この世にただのランチなどというものはない」だが、「現実の世界に無料のものは存在しない」「ただより高いものはない」、あるいは「見返りを期待されている」といった意味。

• There really is no such thing as a stupid question — only stupid answers. (実際は愚かな質問などというものはない。あるのは愚かな答えだけだ)

take 　動 とる、持っていく、する　名 (口) 意見

take a straw poll　非公式の (意識) 調査を行う

straw in the wind は、空中に飛ばして風向きを測るわらで、そこから straw poll は、小グループを使った非公式な調査を指す。take a straw vote とも言う。

• I took a straw poll of our managers a few days ago, and eight out of ten said employees are dressing less formally than five years ago. (数日前にマネジャーたちに簡単な調査を行ったのだが、10人中8人が、従業員の服装は5年前よりもカジュアルになっていると答えた)

take something [someone] for granted   当たり前と思う

物事に対しては、「(…ということを)当然のことと思う」という意味で使われるが、特に人に対しては、「(慣れっこになっていて)ちゃんと評価しない[軽く見る]」という意味になる。

• Color TVs used to be a novelty, but now they are taken for granted in most countries.

(カラーテレビはかつては目新しいものだったが、今ではほとんどの国で当たり前になっている)

take something personally   (人のことばなど)を個人攻撃ととる

文字どおりの意味「…を個人的にとる」から「…を自分への批判[侮辱]だと受け取る」ということ。Don't take it personally. (感情的になるな、個人攻撃と思うな)などのような形でよく用いる。

• I like working for a boss who appreciates honest criticism and doesn't take it personally when he or she is challenged or questioned by a subordinate. (部下から異議や疑問をぶつけられても、率直な批判を受け入れて個人攻撃だと考えない上司のもとで働きたい)

• We tend to take criticism personally. But constructive criticism is actually a type of feedback that can help you succeed in your career. (私たちは、批判を個人攻撃と考えがちだ。しかし建設的な批判は、実はキャリアを積んでいくために有益なフィードバックの一種なのだ)

What's your **take** on ... ?   …についてどう思いますか。

名詞の take には「見解」「解釈」という意味があり、What's your take on ... ? は「…に対してどう思うか」と尋ねる時の定番のフレーズ。インタビュー番組などでもよく耳にする。What's your take on this vexed question?（この厄介な問題に関して、どうお考えですか）など と使われる。

• "Some people in the States seem to think teachers should carry firearms to protect themselves and their students. What's your take on that?"（アメリカでは、教師は、自分自身と生徒たちを守るために自ら銃を携帯すべきだと考える人たちがいるようです。これについてのあなたの意見はどうですか）

"I don't think more guns are necessarily the answer."（銃を増やすことが必ずしも解決策だとは思いません）

talk 動 話をする 名 おしゃべり

Money talks. 《ことわざ》金がものを言う。

「金がものを言う」で、「お金には影響力がある」ことを意味することわざ。あとに続けて But all it says is good-bye.（でもお金が言うのはさよならだけ）などと冗談で言うことがある。

talk the **talk** and walk the walk　口先だけでなくきちんと実行する、言うべきことを言いやるべきことをやる

talk the walk and walk the talk とも言う。いずれも「言ったことをきちんと行う」「有言実行」ということ。Don't talk the talk if you can't walk the walk. は「実行できないのなら、偉そうなことを言うな」という意味。

tall 形 (背の)高い、大げさな

tall order　《口》難しい注文、手に負えそうもない仕事

tall には口語で「法外な」「信じられない」「大げさな」といった意味もある。tall story [tale] は「ほら話」「大ぶろしき」、tall price は「法外な値段」のこと。

• Finishing the acquisition project by next week is quite a tall order.（来週までに買収計画を終わらせるというのは無理な相談だ）

task 名（課せられた）仕事、業務、任務 動 仕事を課す［割り当てる］

• I have been given the task of building a morale survey with more emphasis on employee engagement.（私は、従業員の仕事への関わり度合いにより重点を置いた士気調査を構築する任務を与えられた）

• Jimmy has been tasked with finding a venue for the year-end party.（ジミーは、年末のパーティーの会場を見つける仕事を課せられた）

tech 名 科学技術（technology の略）

high-**tech** 名形 ハイテク（の）、先端技術（の）

tech を接尾辞とした語はいろいろある。fintech は金融（finance）サービス、wealthtech は裕福層の資金の包括管理（wealth management）、femtech は女性（female）特有の課題、agritech は農業（agriculture）、edtech は教育（education）、agetech は高齢者の生活や健康。これらに関して、テクノロジーを用いて問題を解決したり、よりよい支援をしたりするサービスや製品のことを指す。

tech-oriented lifestyle テクノロジー本位［重視］のライフスタイル

-oriented は、その前の語が主導権、強制力、推進力などを持っていることを意味する。イギリス英語では-orientated となる。information-oriented society（情報化社会）、consumer-oriented marketing（消費者本位のマーケティング）、results-oriented management（結果重視主義の経営）、politically oriented youth（政治に関心を持った若者）などのように使われる。

term 名 用語、ことば

contradiction in **terms** 名辞矛盾、ことばの矛盾

たとえば、pet peeve は「腹の立つこと」「大嫌いなもの」の意だが、

pet は形容詞で「お気に入りの」、peeve は「じらすもの」「いらだち」という意味の名詞。

ことばの矛盾

一見意味が矛盾するような 2 つの語句を並べて、言い回しに効果を与える修辞法を oxymoron（撞着語法、矛盾語法）と呼ぶ。ほかにも bittersweet（ほろ苦い）、open secret（公然の秘密）、make haste slowly（急がば回れ）、living death（生き地獄）、jumbo shrimp（ジャンボサイズの小エビ）などがある。

---

generic term　一般的な名称、総称、ノーブランドの名前

万年筆や鉛筆などの総称としての writing instrument（筆記用具）や、sedan、coupe、hatchback、van などを含んだ motor vehicle（車両）といった「一般的な名称」が generic term［name］である。また、「コピー機」のことを Xerox のようなブランド名ではなく、copier や photocopier とする場合も generic term［name］と言う。

text　名（携帯電話から送る）メッセージ　動（携帯電話で）メールを送る

もともとは「書かれたもの」「文章」などを意味したが、21 世紀に入ってからは、携帯電話から送るメッセージ（text message）や、それを送信する行為も意味するようになった。

• It seems like texting has replaced conversation for the under-20 set.（20 歳未満の若者たちにとって携帯メールが会話に取って代わったようだ）

textese　名 携帯メール（に特有）のことば

携帯メールやインターネットなどで使う略語やスラングのこと。たとえば、brb（be right back）、ttyl（talk to you later）、ni8 / 98（night）、cr8（create）、1drfl（wonderful）、10q（thank you）、1ce (once)、2day（today）、4get（forget）などである。

text while driving [walking]　運転中［歩行中］に携帯メールを使う

• A police officer was quoted as saying that texting while driving is even more dangerous than drunk driving.（運転中にテキストメッセージのやり取りをするのは、飲酒運転よりもはるかに危険だという、ある警官のことばが引用されていた）

TGIF　Thank God it's Friday. の略

「やれやれきょうは金曜日」といった意味で、「華金（はなきん）」の到来を喜ぶ表現。このことばが大衆化されたのは1970年に入ってからで、1978年公開の同名の映画が大きく寄与しているとされる。TGI Fridays という名前のレストランチェーンは1965年に設立されている。

that　形 あの、あちらの　代 あれ

that は指示代名詞だが、形容詞として名詞を修飾し「あの…」「その…」の意味でよく使われる。また「それほど」「そんなに」と副詞としても用いられる。

• The movie was quite entertaining and it wasn't that long.（映画はかなり面白かったし、それほど長くもなかった）

---

that の使い方いろいろ

that はイディオムやことわざにもよく登場する。

　Not that [It is not that] ... は前文を受けて、「だからといって…というわけではない」「…というわけではなく」という意味。

• I won't be able to make it to the party next week. Not that I don't want to, but I have a prior commitment.（来週のパーティーには行けない。行きたくないわけではなく、先約が

あるのだ)

　質問に答える時の Not that I'm aware [I know] of. は
「私の知るかぎりではそのようなことはない」という意味。
• "Are there any changes in the schedule for tomorrow?"
（明日のスケジュールに変更はありますか）
　"Not that I'm aware of."（私の知るかぎりではありません）
• All that glitters is not gold.（輝くもの必ずしも金ならず）（＊
人や物を見かけで判断してはいけないという意味のことわざ。All
is not gold that glitters. とも言う）
• All's well that ends well.（終わりよければすべてよし）

That was then.　昔はそういうものだった。あれはあの時の話。

This is now. と続けたりする。「それは昔のことで、今は違う」という
意味。それをもじった言い方に That was Zen. This is Tao. がある。
Zen は仏教の「禅」「禅宗」で、Tao は道教や儒教の「道（どう）」のこと。

they　㐂 彼らは（3人称複数の代名詞）

singular **they**　単数の they

he や she で受けるのが不適切、あるいはどちらとも呼ばれたくない
性的マイノリティの人（nonbinary [gender-neutral] person）に関して
使う代名詞。たとえば、Pat couldn't find their house keys this
morning.（パットは今朝、家の鍵を見つけられなかった）のように単数の
主語を their という代名詞で受ける。アメリカの辞書出版大手の
Merriam-Webster は、第3の性を表す代名詞としての使用の広がりか
ら、2019年の Word of the Year に they を選んだ。

　なお、they を単数として使う場合でも、be 動詞は is ではなく複
数名詞を受ける are を使う。この用法は「文法的におかしい」との指
摘もある。2人称の you ももともとは複数だけを意味していた（単数

は thou）が、現在では単数・複数の両方に使われている。they も時代の移り変わりの中で、単数・複数ともに使われるように変化していると解釈できる。また、they の再帰代名詞は本来 themselves だが、themself という単数形も見られるようになってきた。

this 　形 この、こちらの　代 これ

空間的・心理的に話し手に近いものを指す。口語で主に体験などを語る場面で不定冠詞 a または定冠詞 the の代わりに用いる指示代名詞（demonstrative pronoun）。聞き手に臨場感や親近感、熱意を伝え、話に引き込む効果がある。

• I met this guy at the party last night. And it turned out he was a distant relative on my father's side.（昨夜のパーティーである男に出会った。で、彼は父方の遠い親戚だということがわかった）

tick 　動（時計が）カチカチ（チクタク）いう

時計の針の「チクタク」（ticktack）という音からきた擬音語の動詞。

what makes someone tick 　（人）を動かす理由、行動させる動機

この表現では、人を時計にたとえて、その人を動かしている原動力や動機のことを言っている。

• I didn't know that Dick had married a woman two years younger than his daughter. I guess that's what makes him tick.（ディックが自分の娘より2つ年下の女性と結婚したとは知らなかった。それが彼の原動力なのだろう）

• I find online advice columns fascinating. I've learned all sorts of things about what makes Americans tick and what the hot topics are.（オンラインの人生相談コラムはとても面白いと思う。アメリカ人を動かしているものは何なのか、注目の話題は何なのかについて、さまざまなことを学んだ）

時計がカチカチいわなくなったら…

Sign at a watch shop: If your clock doesn't tick, tock to us.（ある時計屋さんの看板。「あなたの時計がカチカチいわなくなったら…」）

　tick に続く tock to us は、発音の似ている talk to us のこと。「時計が時を刻まなくなったら、当店にご相談ください」ということだが、「時計のチクタクという音」を意味する ticktock にかけたおふざけ。

---

till [前][接] …(する)まで

till death do us part　死が2人を分かつまで

キリスト教の結婚式で新郎新婦が宣誓に用いる式文の文句の一部。新婦であれば、一般的には次のような誓いを立てる。

I, [bride's name], take you, [groom's name], to be my husband, to have and to hold from this day forward, for better, for worse, for richer, for poorer, in sickness and in health, to love and to cherish, till death do us part.（私、[新婦 の 名前]は、私の夫としてあなた、[新郎の名前] を受け入れます。この日から先、よりよい時も悪い時も、富める時も貧しき時も、病める時も健やかなる時も、愛し、慈しみ、死が私たちを分かつまで）

time [名] 時、時間

downtime [名]（労働者やコンピュータなどの機器類の）作業[運転]休止時間、休息[休憩]時間

・We all need some downtime to recharge our batteries.（だれにでも、英気を養うための休息が必要だ）

face **time** 《口》顔を突き合わせての対話の時間 ☞ face

for the **time** being 当分の間、さしあたり

• We're not looking at any staff cuts. The contract says all positions will be retained — at least for the time being. (人員削減は考えていない。契約によると、すべてのポジションは維持される。少なくとも当面は)

in **time** (…するのに)間に合って、タイミングよく

• I want to have lunch outside and be back in time for a meeting at 1:30. (外で昼食を食べて、1時半の会議に間に合うように戻りたい)

it's high **time** to 今こそ…すべき時である

to のあとには常に動詞の原形(to 不定詞)が続くので、It's (high) time to recharge your batteries. (今こそ充電すべき時だ)のようになる。しかし同じ意味で不定詞を使わない場合、time に続くのは通常は動詞の過去形でIt's (high) time you recharged your batteries. のようになるので、注意が必要。

• Now that you've finished college, it's high time you got a full-time job. (いまや大学を卒業したからには、フルタイムの職につくべき時だ)

matter of **time** 時間の問題

• Golin says it's only a matter of time until paper book disappears. (紙の本がなくなるのは時間の問題でしかないとゴーリンは言っている)

me **time** 自分の時間 ☞ me

once upon a **time** 昔々 ☞ once

quality **time** 充実した時間、質の高い時間

20世紀に英語の語彙に取り入れられた新語を収録した *20th Century Words* には、1977年から使われるようになった語として掲

載 されている。説明に time spent in giving someone one's undivided attention in order to strengthen a relationship, especially between a parent and child とあるように、特に「関係を緊密にするために親が子供と過ごす時間」のこと。

• Many busy corporate executive spend quality time with their children on weekends.

（多くの忙しい管理職は週末を子供たちと過ごす）

screen **time** 画面を見ている時間

スマホやコンピュータやテレビ、ゲーム機などの画面を見ている時間のこと。幼児期に screen time が長いと、肥満や睡眠障害などを引き起こすおそれがあると言われる。

• My doctor advised me to cut down on my screen time before bedtime to improve my sleep quality.

（私の医師は、睡眠の質を向上させるために、就寝前にスマホなどの画面を見ている時間を制限するようアドバイスした）

sign of the **times** 時代の動向、時代の特徴を端的に示すもの ☞ sign

There's a **time** and place for everything. 《ことわざ》何事にもそれなりの時と場所がある。

旧約聖書の『伝道の書』(*Ecclesiastes*) に出てくることばで、「何事にもふさわしい時と場所というものがある」という意味。「今は適切な時と場所ではない」という意味合いで使うことがよくある。

今でしょう

"If not me, who? If not now, when?" (私がやらなければ誰がやるの。今やらなければいつやるの) はイギリスの俳優エマ・ワトソンが2014年に国連で行ったスピーチの中で言った有名な文句。

time-and-a-half pay 　1.5倍の手当［給与］

time は「…倍」という意味で、time-and-a-half pay は「通常の1.5
倍の手当」ということ。これは「時間外労働や生産性の高い従業員に
支払われる特別手当」の意味を指す。

Time is the great healer. 　《ことわざ》時は偉大な癒やし手。

時がたてば悲しみや失望などの念が次第に薄らぐ、という意味のこ
とわざ。but it's also a lousy beautician（しかし、最低な美容師でもあ
る）と続けることがある。癒やし手としてはよくとも、時と共に人間
の容姿は衰えるからである。

　このことわざをもじって、Time is the great healer, unless you
have a rash, in which case you're better off with ointment. など
とも言う。「でも発疹（はっしん）の場合には、軟膏（なんこう）のほうがよく効く」と突然現
実的な表現に。

足治療院の看板

In a podiatrist's office: Time wounds all heels.（足治療院の
看板。「時はすべての足のかかとを痛める」）

　よく知られていることわざの Time heals all wounds. を
もじったものだが、「癒やす」の意味の heal と同音異義語の
heel（足のかかと）を使ってしゃれている。「時の経過にしたが
ってかかとも痛む。（その場合には、当院にいらしてくださ
い）」というわけだ。

---

time-sensitive 　形 時間に敏感な、締め切りや時間の制約を受ける

sensitive は「反応しやすい」「刺激に容易に反応する」という意味。
heat-sensitive device は「熱に反応する装置」のこと。

・We deliver time-sensitive goods like fresh produce, dairy
products, meat and seafood, flowers and medical supplies.（私

たちは、生鮮食品、乳製品、肉類と魚介類、花、医療品など時間に制約のある
商品をお届けします)

Tough times never last but tough people do.　困難な時
期は決して続かないが、タフな人間は持ちこたえる。

　　tough にはいろいろな意味がある。have a tough time は「とても苦
　　労する」「つらい目に遭う」ということで、It's been a very tough day.
　　と言えば「きょうはとても大変な日だった」となる。人を修飾すると、
　　「(精神的に)たくましい」「タフな」「(肉体的に)丈夫な」ということ
　　で、You finished it in one night? You're tough.(一晩でこの仕事を
　　終えたって。タフだな)とか、You've got to be tough — it's a jungle
　　out there.(あなたはたくましくなければならない。外は競争社会なのだか
　　ら)などのように使う。

well-timed　形 タイミングがよい、時宜を得た ☞ well

toll　名 使用料、(道路などの)通行料、犠牲、損害

take a toll on　…に大きな悪影響[損害、損失]をもたらす
　　• The late-season hurricane took a heavy toll on lives in
　　southern California.(季節外れのハリケーンが、南カリフォルニアで多
　　くの被害をもたらした)

toss　動 (軽く)投げる、ほうる
　　• Carol tossed her coat onto the chair and hurried into the
　　meeting.(キャロルはコートを椅子に放り投げて、急いで会議に向かった)

toss [throw] a (bridal) bouquet　(結婚式で)ブーケを投げる
　　bouquet toss は、19世紀のイギリスに始まったとされる結婚式にお
　　ける慣習の1つ。花嫁が婚礼の花束(bridal bouquet)を招待客に向
　　かって投げ、それを受け止めた女性が次に結婚すると言われる。し
　　かし、「独身」に関する価値観の変化や、男性への差別、また性的少数

者に配慮しようといった動きから、最近は敬遠されることもある。代わりにキャンディを投げたり、投げると1つの花束がいくつかの小さな花束に分散し、より多くの人（男性を含め）がそれをキャッチする機会が与えられる breakaway bouquet と呼ばれるものなどが出てきた。

toss-up 　图 五分五分の見込み、予測不能なこと

Let's toss up. と言えば、「コインを投げて heads or tails（表か裏か）で勝負を決めよう」ということになる。

• It's really a toss-up between Thailand and Vietnam. They both have great tourist attractions.

（タイにするかベトナムにするかは非常に迷う。両方とも素晴らしい観光名所がある）

tour 　图 ツアー、旅行、施設見学

日本語の「ツアー」は「周遊旅行」「観光旅行」「小旅行」の意で使うことが多いが、tour は人数や所要時間とは関係がなく、「工場や施設などの見学・視察」も含めた広い意味を持つ。

guided **tour** 　ガイド付きの見学、案内されて回ること

nickel tour とは、かつては nickel（5セント硬貨）を徴収して行っていた簡単なガイド付きツアーのことを指していた。そこからより一般的に「（社内や公共の場所などを）ざっと案内すること」という意味になった。

　新入社員に社内を案内して回ることは office tour と呼ぶ。

• During the office tour of A&A, our guide showcased the "love and profit" corporate culture, which derived from a blend of compassion and the pursuit of profit.

（A&A社のオフィスツアーでは、思いやりと利益追求の融合から生まれた「愛と利益」の企業文化を私たちのガイドがアピールした）

town 名町、中心地

down**town** 名《米》ダウンタウン、中心街

「下町」ではなく、「都心」「繁華街」のこと。イギリスでは city centre と言う。

　都市の中心部にあって比較的貧しい層が多く住む停滞した地域を inner city と呼ぶ。downtown が活気のある都市の中心部であるのに対して、inner city は大都市のスラム街の婉曲的な表現。

town (hall) meeting 《米》タウンミーティング、社員集会、対話集会

アメリカ建国期のニューイングランドでは、直接民主制度に基づき、地方自治の最小単位 township の全住民による総会で、課税や土木事業などを含むすべてのことが決められていた。この総会が town meeting のもともとの意味である。現代では、行政や政治家が地域住民に対して開催する対話型の集会、あるいは企業で全社員を対象に開かれる自由討論集会を指す。all-hands meeting とも呼ぶ。

　全社的な town hall meeting では、一般的に経営幹部が報告を行い、社員が質問をする機会が設けられる。その目的は、経営陣と従業員のコミュニケーションギャップを埋め、組織のメンバー全員に組織の計画や最新情報を伝え、従業員のチームワークを高めたり、コラボレーションを刺激したりすること。最近、ハイブリッドワークやリモートワークを行っている企業では、オンラインに移行しているところもある。

tree 名木

Money doesn't grow on **trees**. 《ことわざ》お金は木に生らない。

「お金は木に生らない」ということから、「お金は無尽蔵にはない」「働かなければ金を得ることはできない」といった意味で、親が子供を諭す時などに言う。

true 形 本当の

in the true sense of the word そのことばの本当の意味において、真の意味で ☞ in

true feelings versus a façade 本心対うわべ

「本音」は one's true [real] feelings だが、「うわべ」は surface や façade と訳されることがある。façade /fəsáːd/ はもともとフランス語で「建物の正面［前面］」の意味だが、そこから「うわべ」「外見」を意味する。

- It's important to distinguish between someone's façade and their true feelings, as appearances often can be deceiving.（見た目は当てにならないことが多いので、相手の建前と本音を見きわめることが重要だ）

turf 名 芝生、領域、分野

第一義的には「芝地」という意味で使われるが、「領分」「領域」「(暴力団や不良グループの) 縄張り」という意味もある。turf war は「縄張り争い」のこと。on one's own turf と言えば「自分の地盤で」「自分の得意分野において」の意味。

- Sue is on her own turf when it comes to graphic design.（スーは、グラフィックデザインなら得意の分野だ）

come with the turf 《口》(義務などが) 地位に付きものである

普通は喜ばしくない課題などが自分の仕事の中に含まれているという意味で使う。

- In this job, customer complaints come with the turf.（この仕事にはお客からの苦情が付きものだ）

surf and turf シーフードとステーキのセット

surf は「寄せる波」、turf は「芝生」のことだが、surf and turf（＊surf

'n' turf ともつづる) は「シーフードとステーキのセット」のこと。シーフードにはロブスターなどが出され、高価な一品である。相手が勘定を払うデートのような場合にこうした高価なものを頼むと、品性が卑しいと思われて二度と誘ってもらえない、と言われる。反対に、ハンバーガーのようなメニューにあるいちばん安い料理を頼むのも、相手を見くびっているようであまり望ましくないとされている。

turn 動 返す、…になる

turn 60　60歳になる

年齢について turn を使うと「…歳になる」「…歳を超える」ということ。Tom just turned 60 last week. は「トムは先週、60歳になったところだ」、Tom is turning 60. は「トムは60歳に手が届く」の意。push の進行形を使って Tom is pushing 60. と言うと「トムはそろそろ60歳に近づいている」という意味である。

turn something inside out　…を裏返しにする

セーターなどを「裏表逆に」「裏返しに」着るのは wear a sweater inside out と言う。同じ「逆に」でも、upside down や top to bottom は「上下逆に」、back to front は「前後逆さまに」のこと。「(服を)後ろ前に着る」「表裏を逆にする」「後先を逆に(並べる、述べる)」といった文脈でも使う。また know something [somebody] inside out と言えば、「何でも知っている」「裏も表も知り尽くしている」ということ。

turn something upside down　…をひっくり返す、…をめちゃめちゃにする

「上下を逆さにするようにひっかきまわす」といった意味だが、turn (a place) upside down と言えば、家宅捜索などで部屋や場所を「めちゃめちゃにする」ということ。同様に、I turned my desk inside out looking for a lost file. と言えば、「デスクをひっくり返すよう

にして、なくしたファイルを探した」という意味になる。inside out は「裏返しにして」「徹底的に」ということ。

• Kate turned the house upside down but she still couldn't find the key. (ケイトは家の中をひっくり返してみたが、それでもなおその鍵を発見できなかった)

type 名 型、タイプ

Type A behavior A 型行動様式

A には特に意味がないとされているが、aggressive (攻撃的な) の頭文字だと言われることもある。その特徴は、攻撃的で競争心が強く精力的だがせっかち。血液型の A 型とは関係はない。

typo 名 誤字、誤植 (typographical error の略)

これはアメリカ英語で、イギリスでは literal error あるいは、略して literal も用いる。

• An American politician's re-election campaign poster misspelled the word "America" as "Amercia." The typo soon sparked widespread online mockery. (あるアメリカの政治家の再選キャンペーンのポスターが、America を Amercia と誤記した。この誤字はすぐにネット上で広く嘲笑の的となった)

used 形 慣れて

be used to で「…に慣れている」のように用いる。「中古の」を意味する used は /júːzd/ と発音するのに対し、こちらは /júːst/ と発音する。

used to …するのが常であった

used to は、「常に…した」「…するのが常であった」という意味の過去形の慣用句で、その否定形は普通、didn't use to となる。しかし used to という連語の意味が強いので、特に口語では didn't used to

という非文法的な言い回しが一般的である。イギリス英語では
usedn't to も用いる。

• I didn't used to be a morning person. (私はかつては朝型人間では
なかった)

view 名 見解、視界、景色

原義は「見られるもの」「見ること」であったが、そこから派生した
「(ものの) 見方」「意見」という意味でよく使われるようになった。

point of view 観点、視点、見方

• Could young people understand the hearing aids from an
older person's point of view? (若い人たちは、年配の人たちの立場か
ら補聴器を理解できるだろうか)

• From a time-management point of view, telecommuting
makes a lot of sense. (時間管理という観点からは、在宅勤務は大いに理
にかなっている)

-vore 接辞 …食動物

carnivore は「肉食動物」、herbivore は「草食動物」のこと。*New
Oxford American Dictionary* の 2007 Word of the Year に選ばれた
locavore という語がある。local と -vore の合成語で、「地元で栽培
あるいは生産された食品を食べる人」という意味。☞ food (locally
sourced food)

wake 動 目覚める

Wake up and smell the coffee.   現実に目覚め、直視する。

「目を覚ましてコーヒーの匂いをかぐ」ということ。命令形で使えば
You're dreaming. (あなたは夢を見ている) とか You're not facing
the facts. (あなたは事実を受け入れていない) という意味になり、現実

を直視していない相手に現実的になることを促す表現である。

• Marketers need to wake up and smell the coffee, and get on board with this new normal. (マーケティング担当者は、目を覚まして現実を直視し、新たな常態を受け入れる必要がある)

wake-up call　人の目を覚ますような経験［出来事］、警鐘　☞ call

woke　形 社会問題に目覚めている　☞ woke

walk　動 歩く

walk and chew gum at the same time　ガムを噛みながら歩く

のちにアメリカ大統領に就任するジェラルド・フォードを評して、リンドン・ジョンソンが述べた、He can't walk and chew gum at the same time. (彼は歩きながらガムを噛むという2つのことを同時にできない、不器用［無能］な人間だ) は有名である。今では主にユーモラスな文脈で使われる。

walking encyclopedia [dictionary]　歩く百科事典［辞書］、生き字引

「歩く辞書［百科事典］」から「生き字引」の意味。walking library [brain] などとも言う。また、walking disaster は「歩く災難」から「失敗ばかりしている人」のこと。walking papers (解雇通知) は「解雇する」を婉曲的に let someone walk と表現するところから。

wall　名 壁

hit a brick [stone] **wall**　壁に突き当たる、停滞する

「(試みなどが) レンガ［石］の壁に突き当たる」という比喩から、「前進を阻まれる」「どうしてもうまくいかない」の意味に使われる。knock [bang, hit] one's head against a brick wall (頭をレンガの壁に打ちつける) は「不可能な［見込みのない］ことを試みる」ということ。

see the writing on the **wall** （悪い）前兆を見てとる ☞ see
The **walls** have ears. 《ことわざ》壁に耳あり。 ☞ ear

want 動…が欲しい、…したい 名 不足、必要

Waste not, **want** not. 《ことわざ》無駄がなければ不足もなし。
「資源やお金を無駄に使わなければ、あとで足りなくて困ることはない」「持っているものを賢く使えば、常に充足していられる」といった意味のことわざ。w と n の頭韻がこのフレーズを言いやすく、覚えやすくしている。この場合の want は「欲しい」ということではなく、「欠けている」という意味。

wary 形 用心深い、慎重な

wary of で「…に対して用心している」などと用いる。新型コロナウイルスによるパンデミック以降、virus-wary（ウイルスに対して用心深い）にあるような複合要素としての用法も見られる。
• Consumers are wary of spending too much amid the current recession.（現在の景気後退の中で、消費者は過度に出費することに慎重になっている）
• Virus-wary consumers are shopping more online.（ウイルスを警戒する消費者は、オンラインで買い物をすることが増えている）

wave 名 波

原義は「波」のことだが、比喩的表現として「波のような動き」「波のように押し寄せる群れ」などの意味でも使う。また、急激な気候の変化についても wave を用いる。heat wave は「熱波」「猛暑」、cold wave は「寒波」のこと。

on the same **wave**length 《口》同じ考え方で、波長が合って
「好みや趣味、意見などを同じくするのでお互いにわかり合うことが

できる」ということ。wavelength は物理学や無線などの分野の「波長」のことで、「波長や周波数が合っている」ところから「互いの気持ちや意思などが通じ合っている」という意味で使われる。

• Just to make sure we're both on the same wavelength, I want to define our long-term goals. (私たち双方が同じ考え方であることを確実にするため、私たちの長期的な目標を決めておきたい)

wave of　…の波、相次ぐ…、…の(突然の)増加[高まり]

ride the wave of change は「変化の波に乗る」、wave of prosperity は「好景気の波」、wave of the future は、「未来における大きな動向」「次代を担うもの」といった意味である。

• Learning new skills is one way to ride the recent wave of technical innovation. (新しい技能を身につけることは、近年の技術革新の波に乗る1つのやり方だ)

• Autonomous vehicles and renewable energy may be the wave of the future. (自動運転車と再生可能エネルギーは未来の大きな流れになるかもしれない)

wear　動 …を身に着けている

日本語では「コートを着ている」「靴を履いている」「帽子を被っている」「宝石を身に着けている」「眼鏡をかけている」「口紅を塗っている」などと、「身に着けている」ことを目的語により異なる動詞で表現するが、英語では wear a coat、wear shoes、wear a hat、wear jewelry、wear glasses、wear lipstick のように、どの目的語でも wear で表すことができる。

well　副 よく

well-defined　形 はっきりした、明確な

well-defined career goal　は「明確なキャリアの目標」、well-deserved vacation は「当然の休暇」、well-educated は「高学歴の」、well-informed decision は「十分な情報に基づいてなされた決定」のこと。

well-grounded 　形 基礎がしっかりしている、根拠が明確である

grounded は「根拠がある」という意味の形容詞。

• Jill is well-grounded in African history.（ジルはアフリカの歴史について十分な知識がある）

well-heeled 　形 裕福な、金持ちの

well-off とほぼ同義。

　反対語は ill-heeled で、an ill-heeled person は「貧乏な人」という意味になる。

• The restaurant attracted a well-heeled clientele, who could afford its high price.（そのレストランは、高額な料金を支払う余裕のある裕福な客層を惹きつけた）

well-meant 　形 善意の、善意から出た

「善意で行ったものの、不首尾に終わった［善意が通じなかった］」というニュアンスをしばしば含む。well-meant remark は「よかれと思って言ったことば」。well-intentioned も同じような意味に用いる。mean well は「よかれと思ってする［言う］」こと。

• Although the feedback from the boss was well-meant, it came across as too harsh and discouraging.（上司からのフィードバックは善意からのものだったが、あまりに厳しく、落胆させるものだった）

• Jessica means well but she needs to be more mindful of others' perspectives.（ジェシカは悪気はないのだが、もっと他人の立場を思いやる必要がある）

well-off 　形 裕福な、金持ちの

比較級、最上級はそれぞれ better-off と best-off。

　反対語は badly-off で「生活が苦しい」「懐具合が悪い」という意

味。比較級、最上級はそれぞれ worse-off と worst-off である。アメリカでは bad-off も使う。

• Despite being well-off financially, the Eglers instilled the importance of humility and gratitude in their children.(経済的に裕福であったにもかかわらず、エグラー夫妻は子供たちに謙虚さと感謝の気持ちを持つことの重要さを教え込んだ)

• Don's pretty bad-off due to some failed investments.(ドンはいくつか投資に失敗して、困窮している)

well-organized 　形　きちんと整理[準備、計画]された、組織立った

人について言う場合、頭の中をきちんと整理して、整然と効率的に、物事を秩序立てて処理する能力がある状態を示す形容詞。He is well-organized. と言えば、「彼は、仕事を秩序立ててきちんと整理することができる」という誉めことばになる。組織や手法などを修飾する語としては「高度に組織化された」「効率のよい」という意味。

　反対語は disorganized で、「(人が)仕事などでまとまりを欠く[手際の悪い]」ということ。

well-rounded 　形　多方面にわたって能力や経験を持っている

well-rounded person は「趣味やスキルや経験が豊富でバランスの取れた人」、well-rounded education は「幅広い分野に及ぶ教育」を意味する。

　反対語は ill-rounded である。

well-timed 　形　タイミングがよい、時宜を得た

well-timed remark は「時宜を得た発言」で、The well-timed release of the product coincided with high market demand, leading to record-breaking sales. は「タイミングよく発売されたその製品は、市場の高い需要と重なり、記録的な売り上げを達成した」ということ。well-timed の反対語は ill-timed である。

• The well-timed arrival of the rescue team saved the stranded hikers from spending the night in the cold mountains. (タイミングよく救助隊が到着したことで、取り残されたハイカーたちは寒い山中で一夜を過ごさずに済んだ)

•Ron's ill-timed joke during the somber meeting left everyone uncomfortable. (厳粛な会議中のタイミングを逸したロンのジョークに、誰もが不快感を覚えた)

what 名何

Guess what? 《口》ねえ聞いて。ちょっと聞いてくれますか。何だと思う?

「何なのかを推測してみてください」ということだが、相手の注意を引いてから意外なことを切り出したい時の、インフォーマルな会話的表現。You know what? とも言う。

What day of the week was summer this year? 今年は何曜日が夏だったかしら。

イギリス人が時におどけて使う表現で、夏と言える日は数えられるほどしかなかった、ということ。イギリスの夏が短いことを表現した言い回しはこのほかに、The English summer — three fine days and a thunderstorm. というのもある。「晴れの日が3日と雷雨が1度で、イギリスの夏は終わる」という意味である。

wink 名 まばたき、(まばたきほどの)短い時間

catch forty winks 《口》ひと眠りする、うたた寝する

a wink は「ウィンク」「1回まばたきする間」「瞬間」のこと。イディオムの catch forty winks は「40回のまばたきに相当するぐらい短い時間の睡眠をとる」(take a short nap)という意味である。

-wise 接辞 …の点においては、…に関しては

work-wise(仕事に関して)、health-wise(健康の面では)、safety-wise

（安全面では）、technology-wise（技術に関して）、location-wise（立地について）など、ほぼどのような名詞についても使え、with respect to とか in term of より短くて言いやすいので、ビジネス用語として、また特に口語でよく使われている。ただし、この安易な新語作りの手法に対して眉をひそめる人もいるので、乱用には気をつけたい。

woke 形 社会問題に目覚めている

もともと「目覚める」という意味の動詞 wake の過去形・過去分詞。一般の辞書には動詞としての意味しか載っていないが、*Oxford English Dictionary* が2017年に語の形容詞の意味を追加した際には alert to racial or social discrimination and injustice（人種および社会的な差別や不正に敏感な）と説明した。名詞は wokeness である。

　　Stay Woke と書かれたプラカードをもってデモをする人たちの写真も、マスメディアでよく見かける。このフレーズの意味は「社会的不公正・人種差別・性差別などに対して高い意識をもち続けよう」ということで、黒人だけでなく性的マイノリティや女性に対する差別に対しても高い意識をもつよう呼びかけている。

　　最初は1930年代のアメリカで、黒人に対する偏見や差別に関連して使われたもののようだが、2020年5月にミネソタ州ミネアポリスで発生した黒人男性を白人警官が死に至らしめた事件から大きな広がりを見せた Black Lives Matter 運動などをきっかけに広まったもの。

wood 名 木、（複数で）森

be out of the woods 《口》危険［危機］を脱する

　Don't hallo [cry] till you are out of the woods. はことわざで、「森から出るまでは喜びの叫び声を上げるな」ということ。「森を出る」というのは、困難な状況から抜け出し、安全、安心な状態に入る

ことを比喩的に表したものとされる。「(それまでは)早まってぬか喜びをするな」という意味で使われる。

• Sales are up from last month, but we should hold on tight till we know we're really out of the woods. (先月と比べれば売り上げは増えているが、本当に安心できる状況になるまでは警戒しなければならない)

word [名] ことば

A **word** to the wise. 《ことわざ》賢者には一言にして足る。

A word is enough [sufficient] to the wise. (賢い人には一度言えば十分だ) ということわざから。日本語の「一を聞いて十を知る」にあたる表現。「(ひと言言えば理解してもらえるだろうから)あまりくどくど言うつもりはない」というニュアンスで使うことがよくある。

「賢者」にもいろいろ

Why are wise men and wise guys the exact opposite?
「wise men も wise guys も(字面では)同じ意味なのに、どうして正反対の存在なの?」ということ。

wise men はいわゆる「賢人」のことで、the three wise men あるいは Wise Men of the East といえば、新約聖書の『マタイ伝』(Gospel According to St. Matthew) に出てくる「東方の三博士」(＊生まれたばかりのキリストを拝した3人の賢人)のこと。

しかし wise は口語で「うぬぼれた」「生意気な」「賢者ぶった」「物知り顔の」という悪い意味でも使う。特に guy と一緒に使い、Don't be such a wise guy. と言えば、「そんなに利口ぶるな」という意味になる。

Actions speak louder than words. 《ことわざ》人はことばより行いで判断される。

「行いはことばよりも雄弁である」ということで、「人はことばより行いで判断される」という意味。

似たような西洋のことわざに、A man of words and not of deeds is like a garden full of weeds. (ことばだけで行為の伴わない者は、雑草に覆われた庭のようなものだ) がある。deeds と weeds が韻を踏んでいる。

by word of mouth 口コミで、口づてに

word-of-mouth communication とハイフンを入れ形容詞として使えば、「口コミによるコミュニケーション」のこと。日本語の「口コミ」は「マスコミ」との対比で生まれ、「口頭でのコミュニケーション」の略とされる。本来は人の口から口へと情報などが伝えられることであったが、インターネットの時代においては影響力が大きくなった。

・The Vietnamese restaurant never placed any ads but gained popularity only by word of mouth, as satisfied customers recommended it to their peers. (そのベトナム料理のレストランは、広告を出したことはまったくなかったが、満足した顧客が口コミで仲間に勧めただけで人気を獲得した)

in the true sense of the word そのことばの本当の意味において、真の意味で ☞ in

Sticks and stones may break my bones, but words will never hurt me. 《ことわざ》棒や石は私の骨を折るかもしれないが、ことばは決して私を傷つけない。

ほかの人に嫌なことばを投げつけられても、いちいち気にすることはない、傷つく必要はない、という意味のことわざ。罵倒されたり悪口を言われたりして落ち込んでいる人を慰める時などにしばしば使

う。ことばのいじめに対して、反撃したりせずに落ち着いて反応するよう諭すもの。

the word is ...　聞くところによると…、…とうわさされている

• The word is we're moving to new offices next year.

(聞くところによると、私たちは来年、新しいオフィスに移転するらしい)

work 動働く 名仕事、労働

line of work　職種、業種　☞ line

out of work [a job]　失業して　☞ out

workforce　名労働人口、総労働力、全従業員

国や地域、産業などについて言う場合は、「労働人口」「総労働力」のこと、企業について言う場合は「全従業員」「労働者総数」を意味する。

• Nearly a quarter of the American workforce was already working from home one way or another when the pandemic began.

(アメリカの勤労者の4分の1近くは、パンデミックが始まった時にすでに何らかの形で在宅勤務をしていた)

work remotely　在宅勤務をする

work(ing) from home のことで、WFH という略語も使われる。インターネットなどを活用し、場所の制約を受けずに、顧客やオフィスと連絡を保ちながら働く、新しい働き方の1つを指す。「遠い」「遠距離通信の」を意味する接頭辞 tele- を用いて、telework や telecommute とも言う。

work sabotage　労働妨害

日本語の「サボる」は sabotage /sǽbətɑ̀ːʒ/ からきたことばだが、英語の sabotage は「怠ける」「怠けて休む」といった意味ではなく「(争議中の労働者が) 工場設備・機械などの破壊をする」「生産妨害をする」「妨害行為をする」「破壊工作をする」といった、行動を伴った強

い意味がある。

working dinner   ワーキングディナー、ビジネス会議を兼ねたディナー

working には「(食事などが)仕事[用談]を兼ねての」という意味がある。working breakfast, working lunch なども使われる。

worm   名（細長く足のない）虫

ミミズやウジ虫、昆虫の幼虫など、細長くて足のないものを指す。人についてworm と言うと、「ぐず」「つまらない人間」という意味。

釣り竿の両端には

If you're looking for my husband, he's gone fishing again. Just walk down to the bridge until you find a pole with a worm on each end.（私のダンナを探しているのだったら、また釣りに行ってますよ。橋のところまで行けば、両端に worm のついた釣り竿があるから、それです）

　これは worm の2つの意味をかけたジョークである。竿の先についている worm が「虫」ならば、それをもっている worm は「つまらない人間」——それがダンナです、というわけである。

---

year   名 年、年齢、期間

autumn years   晩年

婉曲的に「老後」を意味するのだが、多少わびしいニュアンスがある。

• It's important to keep physically, mentally and socially active as you get closer to what are euphemistically known as the "autumn years."（肉体的にも、精神的にも、そして社会的にも活動し続けながら、「人生の秋」と婉曲的に呼ばれる時期にだんだん近づいていくこと

が、重要だ)

gap **year**　ギャップイヤー

大学入学資格を得た者が、入学を1年先延ばしにして旅行や職業体験、ボランティア活動などをする期間。

golden **years**　老齢期、老後、引退後の生活

日本語では「老後」を「シルバーエイジ」と言うが、英語では golden years と言い、通例65歳以後の「退職後の生活」(the time after one's retirement) を指す。

その年代の人を golden-ager と呼ぶ。

•Ted looks forward to spending his golden years in Costa Rica.

(テッドは、老後をコスタリカで過ごすのを楽しみにしている)

•There's no lack of people over 60 who are living their golden years to the fullest, enjoying good health and active lives after decades of work.

(何十年にわたる仕事を終えて、健康と活動的な生活を楽しみ、老後の暮らしを満喫している60過ぎの人がたくさんいる)

year to date　年初来　☞ date

YOLO　人生は一度しかない (You only live once. の略)

•YOLO is my mantra. You only live once, after all. (YOLO が私のスローガンだ。結局、人生は一度きりなのだから)

「現在を楽しめ」

ラテン語の成句の carpe diem も「現在を楽しめ」という意味で間投詞的に使う。直訳すると「この日をとらえよ」(seize the day) だが、「今を楽しんで先のことをあまり考えないように」と人を励ます時などに使う表現 (used to urge someone to make the most of the present time and give little thought to the future — *Oxford Dictionary of English*) である。

　diem はラテン語で「日」「日中」などを意味する。per diem には「1日につき」「日割りの」のほか、名詞で「日当」という意味もある。

zero 　名 ゼロ、無

Ground Zero 　爆心地

広島、長崎に投下された原爆の爆心地や、ニューメキシコ州の世界初の核兵器実験場跡地が当初は Ground Zero と呼ばれた。2001年9月11日のアメリカ同時多発テロ事件でテロの標的となったニューヨークの世界貿易センター（World Trade Center）が倒壊した跡地もやがて Ground Zero と呼ばれるようになった。

　その後、2005年8月にアメリカ本土に上陸した大型ハリケーン、カトリーナ（Katrina）の被害を受けた場所についても使われた。そして2020年2月にアメリカで初めて新型ウイルス感染症による死者が報告されたあと、クラスター（cluster、感染集団）などが発生した都市部もパンデミックの Ground Zero と呼ばれた。

Vision Zero 　ビジョン・ゼロ

交通事故による死者・重傷者をなくすための交通政策。1990年代に、スウェーデンで初めて導入された。

zero tolerance 　ゼロ容認

ある規則の小さな違反に対しても、法律・罰則を厳格に適用する方針のこと。zero tolerance for に続くのは bribery and corruption（贈収賄）、drunk driving（酔っ払い運転）、drug and substance abuse（麻薬や薬物の濫用）、discrimination and harassment（差別やいじめ）などがある。

zero waste　廃棄物ゼロ

地域社会あるいは企業単位で、ほぼすべてのモノを再利用し、廃棄物をなくそうという運動。zero emission は有害ガスの排出をゼロにするという考え方。emission-free vehicle は「排出ガスのない乗り物」「無公害車」である。

zone　名 地域、地帯

one's comfort **zone**　快適帯、安全地帯、心地よくいられる場所

快適な空間に慣れきっているかぎり自己の向上（self-improvement）はないので、そこを離れ、新しい行動パターンを確立することが重要だと言われる。

参考文献

American Heritage Dictionary of Idioms, The (Houghton Mifflin Harcourt, 2003)

Associated Press Stylebook 56th Edition, The (Hachette Book Group, 2022)

Brewer's Dictionary of 20th-Century Phrase and Fable Third Edition (Cassell, 1993)

Collins COBUILD Advanced Learner's Dictionary 10th Edition (HarperCollins Publishers, 2023)

Concise Dictionary of New Words, A (Teach Yourself, 1996)

Dictionary of American Idioms Second Edition, A (Barron's, 1975)

Dictionary of Catch Phrases, A (Routledge, 1986)

Dictionary of Contemporary American Usage, A (Random House, 1957)

Dictionary of Word Origins Paperback Edition (Bloomsbury Publishing PLC, 2001)

Facts on File Encyclopedia of Word and Phrase Origins Third Edition, The (Checkmark Books, 2004)

Longman Dictionary of English Language and Culture Second Edition (Longman, 1992)

Longman Register of New Words (Longman, 1989)

Making Sense of Foreign Words in English (Chambers, 1991)

New Words: A Dictionary of Neologisms since 1960 (Bloomsbury Publishing PLC, 1992)

Oxford Dictionary of Catchphrases, The (Oxford University Press, 2002)

Oxford Dictionary of English Third Edition (Oxford University Press, 2010)

Oxford Dictionary of New Words, The (Oxford University Press, 1991)

Random House Dictionary of the English Language Second Edition Unabridged, The (Random House, 1987)

Random House Dictionary of Popular Proverbs and Sayings (Random House, 1996)

Rawson's Dictionary of Euphemisms and Other Doubletalk. Revised Edition (Crown Publishing, 1995)

Safire's Political Dictionary (Random House, 1978)

20th Century Words（Oxford University Press, 1990）
『広辞苑 第六版』（岩波書店, 2008）
『広辞苑 第七版』（岩波書店, 2018）
『ジーニアス英和辞典 第6版』（大修館書店, 2023）
『新明解国語辞典 第八版』（三省堂, 2020）

オンラインで利用できる辞書

American Heritage Dictionary of the English Language, The
　https://www.ahdictionary.com/

Cambridge Dictionary
　https://dictionary.cambridge.org/ja/

Collins English Dictionary
　https://www.collinsdictionary.com/dictionary/english

Farlex Dictionary of Idioms
　https://idioms.thefreedictionary.com/

Merriam-Webster.com Dictionary
　https://www.merriam-webster.com/

Oxford Advanced Learner's Dictionary
　https://www.oxfordlearnersdictionaries.com/definition/english/

『イミダス 時事用語辞典』
　https://imidas.jp/genre/index.html

『デジタル大辞泉』
　https://kotobank.jp/dictionary/daijisen/

『ロングマン英和辞典』
　https://www.ldoceonline.com/jp/dictionary/english-japanese/

『ロングマン現代英英辞典』
　https://www.ldoceonline.com/jp/

著者 杉田 敏
Sugita Satoshi

昭和女子大学客員教授。1944年、東京神田
生まれ。66年青山学院大学経済学部卒業
後、「朝日イブニングニュース」の記者となる。
71年オハイオ州立大学に留学。翌年修士号
（ジャーナリズム）を取得。「シンシナティ・
ポスト」経済記者から、73年PR会社バーソン・
マーステラのニューヨーク本社に入社。日本
ゼネラル・エレクトリック取締役副社長（人
事・広報担当）、バーソン・マーステラ（ジャ
パン）社長、電通バーソン・マーステラ取締
役副社長、プラップジャパン代表取締役社長
を歴任した。
NHKラジオ講座「実践ビジネス英語」などの
講師を、2021年3月まで通算32年半務める。
2020年度NHK放送文化賞受賞。著書に『英
語の新常識』『英語の極意』（共に集英社イ
ンターナショナル）、『杉田敏の現代ビジネス
英語』（NHK出版）など多数。

現代英語基礎語辞典

2024年3月31日　第1刷発行
2024年7月21日　第2刷発行

著者
すぎた さとし
杉田 敏

発行者
岩瀬 朗

発行所
株式会社 集英社インターナショナル
〒101-0064
東京都千代田区神田猿楽町1-5-18
電話　03-5211-2630

発売所
株式会社 集英社
〒101-8050
東京都千代田区一ツ橋2-5-10
電話　03-3230-6080（読者係）
　　　03-3230-6393（販売部）書店専用

印刷所
大日本印刷株式会社

製本所
株式会社ブックアート